Özdemir Asaf

•

Yalnızlık Paylaşılmaz

Daha Önceleri *Çiçekleri Yemeyin* (1975) ve *Yalnızlık Paylaşılmaz* (1978) adlarıyla iki kitap olarak yayımlanmıştır.

Birinci Basım: Eylül 1982
İkinci Basım: Mart 1984
Üçüncü Basım: Ağustos 1985
Dördüncü Basım: Ekim 1986
Beşinci Basım: Ekim 1987
Altıncı Basım: Mart 1989
Yedinci Basım: Mart 1990
Sekizinci Basım: Temmuz 1991
Dokuzuncu Basım: Mart 1992
Onuncu Basım: Nisan 1993

Kapak Düzeni: Erkal Yavi

93.34.Y.0016.106
ISBN 975-418-101-2

YAZIŞMA ADRESİ: ADAM YAYINLARI, BÜYÜKDERE CADDESİ ÜÇYOL MEVKİİ, NO: 57 MASLAK-İSTANBUL
TEL: 276 23 30 (8 hat) TELG: ADAMYAY TELEKS: 26534 rada tr FAX: 276 27 67

Özdemir Asaf

•

Yalnızlık Paylaşılmaz

Şiir

ÇİÇEKLERİ YEMEYİN

Her insanın bir öyküsü vardır,
ama her insanın bir, şiiri yoktur.

Yoldan geçiyordu, durdu.. Bir bahçe vardı.. Donuk adımlarla, adım-adım bahçenin duvarına yöneldi.. Donuk gözlerle çiçeklere baktı, baktı.. Çiçekler sıcaktı.. Donmuş bir sesle bahçıvana sustu:

— Bu çiçekler kesilecek mi? Bu çiçekler gidecek mi?

Bahçıvan dizlerine bahçeyi çöktü.. Yüzüne çiçekleri döndü.. Bir ışık yanmayordu, yandı, söndü.. Elleri gözlerine baktı, gözleri ellerine aktı.. Gözleri ellerini gördü.. Elleri kördü.. Sönen ışık yandı.. Yanan ışık söndü.. Dün yağmur yağacaktı, gün döndü, yarın yağdı, bugün dindi.. Ağlayacaktı.. Kim anlayacaktı.

ŞİİR

Sana bu güzellikler bizden kalsın,
Bugünlerden bir şeyler bizden kalsın..
Senden almak isterler, bizi söyle;
Geleni bize gönder, bizden alsın.

POETİKA

Yaşadım da yoruldum, bir ağır-işçi gibi,
Uyudum da uyandım, binlerce kişi gibi.

Bana düşünmek vardı, payıma onu aldım,
İşledim de işledim bir hüner-işi gibi.

Horlandı, beğenildi; inandım, alınmadım,
Yolun geleceğini çizdim, geçmişi gibi.

Zor dönemler olmadı-değil, olsundu, oldu,
Ne koştum ne de durdum, kaçak gidişi gibi.

Bu konuyu burada bırakıyorsam birden,
Olmasın diyedir bir şeyin bitişi gibi.

DELİSİ

Yoğun karanlığa karşı
Darmadağın saçı-başı
Kımıl-kımıl gözü-kaşı
Vurur ışıldanır çarşı
Ki yoğun yanlış içinde

Çizgileri nokta-nokta
Kesip-kesip alıp-satar
Ayırır kuruyu yaşı
Yatar uyur sokaklara
Panayır, pazar-yeri'nde
Bir deli, birçok, kör, şaşı

Bağırmak düşer mi, ya da
Yetişir mi, uyuyorlar,
Paylaşmışlar sonu başı
Bir adam, başı elinde
Dönüp-durup bakıyorlar
Bir adam, elinde başı.

O

Çalıyor o gözlerinden o uzun saçsız boyacı;
Gül-bombalı, atsız-arabasız, sakalsız boyacı.
Dudaklarında bir ıslık var, yakasında bir çiçek,
Solan renkleri boyamakta o boyasız boyacı.

DİYALOG

Bir gün, bir evde, bir kedi
Vardı.
O gün, bir evde, o kedi
Benden sıcaklığını esirgemedi.

O gün, o evdeki o kedi
Beni bana götürdü getirdi.
Ona şarkılarımı söyledim;
Uyudu, bakıyordum, benimleydi.

Bir ikilem oldu beklenmedik;
Geçmiş günlerin yumaklarını didikledi.
Var mıydı, yok, var gibi,
Kucağımdaydı kedi.

Gözlerindeydi gözlerim,
Gözleri gözlerimdeydi.
Ellerimi tırmalıyordu elleri...
Ürperdim, birden içim titredi.

Bir gün, bir evde, bir kedi
Vardı.
O gün, bir evde, o kedi
Beni taa çocukluğumdan aldı

O gün, o evdeki, o kedi,
Bak-işte, neler olmuş der gibi,
Getirdi beni gençliğime bıraktı.
Anı bahçelerinde üşümek sıcaktı.

Babamın öldüğünde aylardan Hazirandı,
O elli dördündeydi, ben yedi.
Bir ışık söndüğünde yol yandı.
O kedi bunları nasıl da bildi.

Bir gündü, bir evdi, o kedi
Taş attı bütün kuyularıma.
Durup-dururken dikenli uykularıma
Ninniler söyledi.

Bu bir öykü idi;
Ben mi anlattım, o mu dinledi.
Saklamalı mıydı, ya da söylemeli mi;
Ne o ev vardı, ne o gün, ne de o kedi.

DÜELLO

Her tomurcuk bir çiçeğin uykusuna,
her çiçek bir yemişin kuşkusuna,
her yemiş bir böceğin korkusuna,
uykusuzca, kuşkusuzca, korkusuzca yürür.

GELDİM

Beni çağırmadınız, kalkıp ben kendim geldim.
Uzaklardan size bir haber getirdim geldim.

Bıraktıklarınızdan, unuttuklarınızdan,
Sımsıcak-anılası günler getirdim geldim.

Gömütleri andıran yapılarınızdaki
Yaşantılarınıza evler getirdim geldim.

Tek-tek, ayrık-soluyan bitkiseller yerine
Yüzyüze-dönük-gülen sizler getirdim geldim.

Solarken suladığım, koparken bağladığım,
Ölürken canladığım sözler getirdim geldim.

AŞKIN BALLADI

Andırırsın beni bana, bana beni,
Dediklerinde, duyduklarında,
Yazdıklarımda seni bana, bana seni,
Söylemesem bile, saklamadıklarımda.
Ah hep aklımda, hep aklımda;
Andırırsın seni sana, sana seni,
Gözlerinde, kulaklarında, dudaklarında.

NOKTASIZ

Biri gelir sorarsa
Sana beni sorarsa
Gitti der misin
Gittiğimi söyler misin
Gidiyorum ben sana
Benimle gider misin.

SORULAR

Bir susmayı bakışlarda seslendiren,
Hüzünlü yangınsal aşka döndüren nedir.

Beklemeyi özlemlerle süsleyen,
Yalnızlığın kara-ışığını söndüren nedir.

Duyanı ısıtan, kulağını kestiren, güneşe baktıran,
Korkusuzluk denizlerinde yüzdüren nedir.

Saraylarda çılgın eden, kentlerde tek bırakan,
Direklere astırıp üzdüren nedir.

Ne varsa yeryüzünde, ne yoksa
Onunla paylaştıran, böldüren nedir.

Her şeyi, ama her şeyi olağan dışında,
Örneğin bir gülü yeşil gördüren nedir.

Gözlere ışıltılı anlamlar bağlayan,
Yaşamı ölüme güldüren nedir.

Kalabalıklar, kalabalıklar içinden
Kişiyi yüceye sürdüren nedir.

Parça-parça büyümüş bir çocukluğu
Olgunluk aşamalarında yaşatırca öldüren nedir.

EVRENSEL BALLAD

Bir öykümüz olsa, duyan öyküsü sansa...
Öykümüz böylece dallanıp-budaklansa..
Bir sevi'den, bir övü'den, o bizim öykümüzden
Giderek buluşan eller evreni sarsa..
Öykümüz de büyür büyüklüğümüzden;
Herkes sevi'sinde evreni kucaklarsa.

ŞARKI

Sana ben anlatırdım
Şarkıların dilini,
Sen burada, sen burada olsaydın,
Gelirdi kulağına,
Unuttukça mutluyum,
Mutluyum unuttukça
Derdi bir ses, sıcacık..
Ama ben mutluluğa
İçimden inansaydım.

YER

Bir yerde o varsa,
Onda da bir yer vardır.
Yer nerede ya da ne kadarsa;
O yoksa, yok kadardır.
Ama bir de o varsa,
Yer hem hep kadar, hem her kadardır.

SESİNİZ

Siz gittiniz, gittiniz, gittiniz,
Ben kaldım, kaldım, kaldım,
Sesiniz kaldı, onda kaldım,
Yöneldim yüzünüze baktım,
Yöneldim gözlerinize baktım,
Orada yansıyan bana baktım.
Yalnızlığımı nasıl anlayacaktım.

CONTREPOINT

O kadar bir başka çok şeysin sen..
Bir ölüm var ama, gece-kan'da..
Rengini düşünür-durursun sen,
Okunmaz yazınla, ha vuranda,
Bir anda okunur olursun sen.

MÜZİK

Müzik geceyi geceyi
Geliyor, aç pencereyi,
Sersin odana duyu,
Uğultulu halıyı,
O doğup büyüdüğü
İnansal doğayı.

Yürüsün eleyi eleyi
Seviler, buğu-buğu,
Gönlü, anıyı, belleği,
Oğsun duyguyu.
Ne sıcak anlatır seslenmeyi;
Yumuşacık sen demeyi.

Isıtır yorganı, sözü, perdeyi.
Işıtır en karanlık odayı,
Açar kilidi, açıyı, kapıyı,
Kaynatır donmuş suyu,
Doldurur boş tencereyi
Çeker sürgüyü,
Çözer bir-bir her düğmeyi.

Ballandırır peyniri, ekmeği,
Unutturur tabancayı, bıçağı,
Süsler masayı,
Ölümsüz kılar çerçeveyi,
Açar sevilere yatağı,
Yeğ kılar saklamaya söylemeyi
Fısıldar sevmeyi, sevilmeyi,
Müzik donatır yeri göğü.

Ve kayığına bindi, yanına bir anlam aldı, açıldı.

YAZARLAR

Benim öykümü uyanınca yazarlar,
Nerede kalmıştım, or'dan yazarlar.

SESİN RENGİ

Ne zaman nereye gitmedimse,
Hiç kimseyi de incitmedimse,
Konular birikti kendiliğinden;
Ben ne kadar biriktirmedimse.

UZUN KOŞU

Sana yeni ulaşan şimdi, eski bir bakıştan gelmedir.
Onun gözü senden öncedir, bir yalnız kalışdan gelmedir.
Senin şimdi duyduğun sıcak yaşamını onaran bu ses,
Çok ölümlü savaşlar kadar zorlu bir yarışdan gelmedir.

YAKI

Özleyince anlarımdan çalmaktayım,
Düşlerime çalmaktayım anılarımdan..
Onlardan bir yakınan yok da,
Hırsızlar yakınıyor çaldıklarımdan.

BİRİNCİ ŞİMDİ

Çocuklukta büyüktüm, oyunlara girmedim..
O bahçelerde kaldı oynanmamış oyunlar.
Ben şimdi anlayorum oyunda çocukları;
Ne zaman, nerde, baksam, beni de oynayorlar.

KOCAMAN

Şimdi kocaman denizlerde, kocaman gemilerde
Neden yok küçüklüğümüzdeki büyüklüğümüz;
Çocukluğumuzun bahçelerinde, o evlerde
Kâğıttan gemilerimizi yüzdürdüğümüz.
Bir şeyler mi kalmış çocukluğumuzda,
Çocukluğumuzla çözdüğümüz...

YAŞAM

Sanırım görmediniz;
Şimdi şuradan geçti.
Yazık görmediyseniz,
Böcek gibi güzeldi.

ÖNCE

Ağaçlar çizerdim, yeşillenirdi;
Çizdiğim ağaçlara çizdiğim kuşlar gelirdi.

Ormanlar düşünürdüm, uyurdum,
Düşündüğüm ormanlarda kaybolurdum.

Anı kuyularından çekmek bir yudum acı su,
Bir yudum acı su, çekmek anı kuyularından, soğuksu.

Bilmedim bu, ya bir korkunun duygusu,
Bilmedim bu, ya da bir duygunun korkusu.

Kent dayanıyor bahçenin duvarlarına,
Yeni bahçeler çiz, gözlerinin kuşlarına.

Hazır kent dayanmışken bahçene
Kuşlarını gözüne sal, götür ağaçlarına.

Kİ

Yanılmıyorsam, saygılarla yalnızdım..
Saygılar duymasaydım, yanılmazdım..
Yaslanacak anılarım olsaydı,
Söyleye-söyleye, böyle saklamazdım.

BUNCA

Aklımdaki yorgunluk duygumdu,
Hep bilmekti benim sanısızlığım.
Aklım anılarla yorgunluğumdu.
Uykumda bile bu yalnızlığım
Vardı, anlamadıklarını duydumdu.

Ne kadar geçmiş varsa orada oldum.
Aramak, hep alnımda bulduğum,
Hiç usanmadan duyduğum duyu
Ve bütün gelecekler için kurduğum düş,
Yüzyıllar ötesinde uyuduğumdu.

BİLMEK

Tutkuların evinde savaş kırıkları var;
Kül olmuş bir bütün'ün yonga yanıkları var.
Eski özlemlilerin yeni bahçelerinde,
Anı kuyularının suskun çığlıkları var.

ŞİMDİ

Eskiden hep giderken olsam derdim,
Bilmediğim oraları özlerdim.
Nedir dönerken, nedir akşam
Bilmezdim, bilmeden gülerdim

Başka, hep başka bir yerde olsam.
O gelir beni bulur derdim.
İçinde neler olup olmadığını düşünmeden,
Evlerin, evlerin arasından geçip giderdim.

ORANDA

Yüzümde hüzünden gölgeler varsa,
O hüzün yüzündendir olsa olsa.

Bilmiyorum, bu yaşamın çoğu yaşanmamışsa,
Yaşanmadığı okunur, şimdi, daldımsa.

Özledikçe yalnız durup-susup baktımsa,
Sorulacakken nedeni nasıl sormadımsa.

Geldiğini umudumda umudla umdumsa,
Geleceğini görüyor-biliyordum, anlattımsa.

O geçip-gitti ora'sına, ben görmedim, baktıysa.
Derim ki şimdi, bir daha gelse de, sorsa.

Sözümle, yüzümle, gözümle dedim, duysa.
Bense buramda onu bekledim oysa.

Yüzümde hüzünden gölgeler kaldıysa,
İçimde örülen duvardan düşmüştür, çatladıysa.

O AKŞAM

Ceviz kırıyorlar, bakıyorum;
Kabuğunu kırıyorlar cevizin.
Ceviz çıkıyor..
Sonra oyunlarına dalıyor çocuklar.

Ben de bir ceviz alıyorum
Cevizlerin içinden.
Deniz çıkıyor benim cevizimden,
Açılıyorum.

Gidiyorum o ceviz kabuğunda,
Çocukluğumun oyunsuz bahçelerinden.
Bir akşam o çocuk oyununda
Alnıma yazılan o hüzün denizinden.

NASIL

Havalarda yakalar da tilcikleri ben,
Atarım gene havalara, havalara atarım,
Ve tutarım da onları tam düşerlerken,
Nasıl atarım, nasıl tutarım anlamam,
Anlamlarına basıp kendimi de atarım,
Seni düşünüyorumsa kendimi tutamam..
Nasıl uçmam, nasıl düşmem anlamam.

ŞAKACI

Güler, gülümser bir şakacı,
Güldürür, düşündürür,
Arada-bir durur, gözleri dalar,
Neler söyler, neler susar..
Yoksa, çok acı bir şakayı
Şakadan da olsa,
Çok yalın bir karanlığa mı saklar..
Oynadığı oyunsa,
Yaşamda oynadığı
Oyununu mu yaşar..
Oyunda yaşadığı,
Yaşamını mı oynar..
Yaşarcasına, oynarcasına.
Öyküler anlatır olmuşcasına,
Sonunu mutlu bağlar,
Gider evinde ağlar.

ÖZDÜŞÜM

Ah ben hep duyguyla akıl
Kapılarını bunca yıl
Zorladım. Bir düş gerçeği
Topladım gerçek düşümde.
Savaştı bu huyla akıl,
Hep kafamda ve gönlümde.

Baktım, bölüşmüş gerçeği,
Aklım bir düş-dönüşü'mde.
Duyguyla anlaşmış akıl..
Aşk motoru olmuş düş'ün,
Ve düş de aklın eşeği.
Vardığım her öpüşüm'de
Aklım ısırdı her şeyi.

Motor çıkmaza dayandı,
Eşek renklere boyandı.
Baktım, o uslanmaz aklım,
Elinde duyu çiçeği,
Bir yorgun, renkli eşeği
Koklayarak okşayandı.

ESKİ ÖYKÜ

Umud bir öykü adı, başında önde gider,
Bir ayrım olur sonra, yarısı dünde gider.

Bölüşür yaşanmışlar yaşanmakta olanı,
Anılarla umular barışık yönde gider.

Bir gün, bir an, bir yerde bir dönemeç belirir,
Dengesini yitirir gecelerle gündüzler.

Yalanlara dönüşür korkular için-için,
Sıcaklığını keser duygular, düşünceler.

Tükenen sevilerin alışkanlıklarında,
Gittikçe donuklaşan ışıklar yanıp söner.

Karanlığı emzirir yığın-yığın gölgeler,
Can ateşi soluk göz-bebeklerine tüner.

Bir süre kanat çarpar artık yorulmuş bir kuş,
İnişinin kararan havalarından düşer.

YUMU

Ortalığa çıkarsam,
Bütün kentte duyulur,
Biri alır diyordum.

Açsam ardına kadar
Bir gönül kapısını,
Biri kalır diyordum.

Bir şey'ler anlatmaya,
Ya da bir şey sormaya
Biri varır diyordum.

Görürler yazdığımı,
Dururlar geçerlerken;
Biri döner diyordum.

Anlatırlar evlerde,
Dinlerler akşamları;
Biri sezer diyordum.

Beklemli günler geçti,
İçimden kimler geçti;
Biri bilir diyordum.

Kapılar örtük kaldı,
Sofralar örtük kaldı,
Biri gelir diyordum.

Yazı oldu bir kitap,
O kitaba bir cevap
Biri verir diyordum.

DURAK

Kent küçük bir hışımda büyüyor.
Büyüyor, büyüyor uğultusu başımda,
Otoların, motorların uğultusu.
Tekerlekler dönüyor, dönüyor, dönüyor,
Işıklar bir yanıyor, bir sönüyor;
Kırmızı, yeşil, mavi, kırmızı, yeşil.
Başım dönüyor, dönüyor, dönüyor;
Kırmızı, yeşil, mavi, kırmızı, yeşil.
Onu düşünüyorum;
Kimseden saklanacak gibi değil.

Bekleyenler var duraklarda,
Sıraya girmek için
Yitirmek yarışını
Bitirmek için.

Kiminin elinde çanta var, kiminde çiçek;
Beyaz, sarı, kırmızı, yeşil.
Bir durakta bekliyorum,
Beni de alıp götürecek,
Beni de alıp götürecek,
Bir yere bırakacak
Umut arabasının
Durmasını,
Beni de almasını.

Üstüm başım toz-toprak,
Gözüm-gönlüm tüm çiçek,
Beyaz, sarı, kırmızı, yeşil.
Onu düşünüyorum;
Kimseden saklanacak gibi değil.

SOLUK

Ben atıma bindiğimde,
Ben pazara indiğimde,
Alıyorum dediğimde,
Bütün pazar alınmıştır.

Ben sazımı aldığımda,
Beste-beste olduğumda,
Meydan-meydan çaldığımda,
Bütün sözler söylenmiştir.

AN

Gülüş bir yanaşımdır bir öbür bir kişiye;
Birden iki kişiyi döndürür bir kişiye..
Anılarından kale yapıp sığınsa bile,
Yetmez yalnız başına bir ömür bir kişiye.

İKİLEM

Sevgi ise, sevişeceğiz seninle..
Kavga ise, dövüşeceğiz seninle..
Ölümü de paylaştığımız yaşamda
Ortaklaşa bölüşeceğiz seninle.

YOL'UN

Biri olsa burada, yanımda ya karşımda;
İstediği bir yerde o birden inse bile,
Ben onu götürürüm duyularla aklımda,
İnince benim yüzüm onda silinse bile.

SUSMANIN İKİNCİ YÜZÜ

Şimdi bütün anmalar bir susmanın içinde..
Şimdi bütün susmalar bir odanın içinde..
Anlatmaya bir sözcük, bir bakış arıyorlar,
Önce sakladıkları, bir adamın içinde.

DENKLEM

Düşünürken kendimden başkasına inanmam.
İnanırsam ben senden başkasına inanmam.
İnanınca düşünür, yönelir sana doğru;
Seninle ikimizden başkasına inanmam.

SANA

Küçük çocuklar yapıp geceleri kendimden,
Seni öpsünler diye gönderiyorum sana.
Bana, kucaklarında seni getiriyorlar;
Ben de sonra o seni getiriyorum sana.

2/1 - 1/2

Giderken bura için, gelince ora için,
Gününde ve gecende kendince ora için
Sakladığın kendini böldün iki yarım'a;
İki kez yaralandın bir yarım yara için.

MÜZİK İÇİN ÖVGÜ

"Bir insan topluluğunun nasıl yönetildiğini anlamak isterseniz onun müziğine bakın."

KONFÜÇYUS

Yeni sözler demeye geldim yeni seslerle,
Bağırmalarla değil, canımdan nefeslerle..
Sana kalacak ne var dersen, anlamı derim;
Susmalarında bile bulur seni seslerle.

MATEMATİK SEKSÜEL

Bir gün,bir an-bir günün bir anında
Seni sevecek kadar - sana seni anlatsam

Başımdaysam sonunda-sonundaysam başında
Yürüyor yenilenen,yorulmayan bir anlam.

Sözcüklerin içinde - sözcüklerin dışında,
Düşünlerinde eksik, yaşamlarında tamam.

Sen de anlamalısın gidiyorken yanında,
Başına vura-vura ben sana anlatamam.

Üşünen gecelerin sıcak karanlığında
İki'den bir'i, bir'den ikiyi çıkaramam.

MASAL

Biri varmış, ünü yaşamış çalmış.
Biri yokmuş, dünü yaşamış kalmış..
Vermek diye bir şey dururken, saklı;
Biri gelmiş, günü yaşamış almış.

GECE

Sözcükler birbirini götürdü,
Kitaplarda aklım kaldı.
Yaşamımda bir düğüm,
Ve gecede sivrisinek,
Kaldım kaldı.

DEĞİRMEN

Bir kez geçer, bir insan bir karşı'ya,
Ondan sonra artık her-şey karşı'dır.
Orada bir dur-yeri olsaydı ya..
Olmaması bir karşı-yarışı'dır.

ÖTE

Benden, onlara benzer olmayı beklemeyin,
Ve onları yineler olmayı beklemeyin.
Herkes yeniliğine varır, kendi kalırsa.
Kimseden bana benzer olmayı beklemeyin.

FAL

Olacaksa olmaz da, olmayacaksa olur,
Kiminin yazısı o, kimininki de budur.

Kimi ardından koşar, yetişir zamanında,
Kiminin önündedir birdenbire yok olur.

Kimi bir yerdedir der, o gelir oralardan,
Kimi bildiği yerde bildiğini unutur.

Biri oraya gider, o orada bilerek,
Biri hiç anlamadan yoluna çıkar durur.

Kimi aradığını yitirir aradıkça.
Kimi de arayandır, aranan onu bulur.

SÖZÜ

İnanmadığım oran'da,
Sen varsın diye,
Olacağım, orada.

ŞİMDİNİN

Şimdi ben neden mi güler?
Şimdi ben bir başka bana,
Bir başka şimdi'den baktığımdandır.
Şimdi bu müzik neye çalmakta,
Ne var ona böylesine dalmakta?
Uçurumlarla dağlar birbirinden çıkmadır.

Selam verdim, görmedin, ne zaman, şimdi.
O şimdi benimdi, bu senin şimdi.
Şimdilerin kimi güldürür, kimi ağlatır.

Renklerin, seslerin, sözlerin anlamı, ağırlığı,
Kendileriyle ve öbürleriyle duyarlığı, uyarlığı
Bir de uymazlığı, duymazlığı, sağırlığı vardır.
"Bir şûlesi var ki şem-i cân'ın
Fânûsuna sığmaz âsumânın."
Çok şimdiler Şeyh Galib'in malıdır.

Şimdi buradaydı, nerede, oradaydı, görmedin mi?
Ben ora, sen bura, sen ora, ben bura dendikçe,
Şimdi bir şey olsadır, hem bir şey olmasadır.

"Ne meyle ne nây-ü neyle şimdi,
Gönül eğlenmeyor bir şeyle şimdi."
Şimdisinden Fuzuli uzanmış olmalıdır.

Bir şimdiden bir şimdiye köprü kurarlar
Da balıklar üstünden Yunus deyu geçerler.
Benim çocukluğumdaki yunuslar yuvarlaktır.
"Deryada deryalıklar, suda oynar balıklar,
Ne bu sevdâ olaydı, ne de bu ayrılıklar."
Çocukluklar çocuklardan azdır.

Ne olacak şimdi, ne olmuşdu, komşuda yangın çıkmışdı,
Sönmüştü, külleri uçuşmuşdu, başıma yağmışdı.
Bu çizgiler, bu aklar, o anı yangınından kalmadır,
Ne olduysa için-için ve neler de olmadıysa,
Hiçbir zaman demedimdi bir hiç için.
O konak asıl şimdi yanmaktadır.

KURAMSAL ORTAM

Ne zaman, ora'sı dense,
Aklıma bura'sı gelir.
O bunu benimce bilse;
Yer nasıl oraya gider,
Orası kiminle gelir.

Boşalır bir zaman yer'den,
Bir yaşam iki yön verir.
İkiye boşalan yerden
Burası oraya gider,
Orası buraya gelir.

KALDIM

Seni düşlerime aldım,
Uykusuz kaldım.
Seni uykularıma aldım,
Düşsüz kaldım.
Başıma aldım, sensiz;
Gönlüme aldım, başsız,
Sensiz, yollarda pulsuz,
Pullarda mektupsuz kaldım.
Sana adlar aradım..
Ardında adsız kaldım.

BOLERO

Birisi biri için,
Bilerek, bilmeyerek,
Her biçimden bir anlam,
Her anlamdan bir biçim
Beklemiştir giderek,
Bekledi, bekleyecek,
Birisi biri için.
O belki de gelecek,
Belki de gelmeyecek.
Birisi biri için
Gelecek, gelmeyecek,
Sürecek için-için,
Ama hiç gitmeyecek.
Hep başlayıp yeniden
Ve de hiç bitmeyecek.

BİR GÜN

Ayakta durmayı ben yazmıştım yıllar önce,
Kesin daha da önce başkaları yazmıştır.
Ayağa kalkmanınsa en, en-büyüğü bence,
Bir çocuğun bir gün ilk ayağa kalkışıdır.

O IŞIK

Ben yoksam, biliyorum, ben sende yokuz..
Sen yoksan, biliyorum, sen bende yokuz..
Ve de gözlerimizde bir o ışık.. ki..
O yoksa, biliyorum, biz bizde yokuz.

KÖZ

Sen bakmasını bildikçe görünür yanmışlığım,
Tartmasını bilirsen, tartılır inanmışlığım.
Sen bilmezsen, bilmedikçe, sen bilmeyeceksen,
Uyandırır uyumuşluğunu uyanmışlığım.

AYRIK EŞİTLİK

Gördüler ayrı-ayrı vardıkları yerde,
Sonsuza-dek sürecek yanlışlıklarını.
Gördüler ayrı-ayrı kaldıkları yerde,
Ayrı-ayrı büyüyen yalnızlıklarını.

BİR-BİR

Seni bende, beni sende arayorlar,
Beni senden, seni benden tanıyorlar,
Bir birim gibiyiz tümünün gözünde,
Yarım'larımızı bütün sanıyorlar.

İLGİ

Ben korkmayorum sana yönelmekten,
Seni yinelemekten, seni yenilemekten,
Bir bağlayan, bir ayıran duyuda,
Senden gelmekten, sana gelmekten.

GELMEK

Duydukların hep dağların ardından bitti;
Daha çok bağırsam, yakından duyulur mu?
Uzaklara, daha uzaklara gitsem, de ki gitti,
Bir arayan-soran, bir anlayan olur mu?

BENDİM

Bombaların yağdığı insandan insanlara,
Canavarlara beni unutturmayan bendim.
Ve seni senden önce, kendinden korkanlara
Sığındıkları yerden vurdurttturmayan bendim.

SİKLON

İnsanlar mutluluğu mu ararlar güzelde,
Mutlulukta ille de güzeli mi ararlar...
Oysa bu olanlar ne, insanların içinde;
Ki orada bulurlar, ki orada boğarlar.

DEĞİL

Senin o durduğun yer, sana göre değil,
Duyup dinlediklerin sana seni der değil,
Benim sana dediklerimi onlar unutturmayor;
Çünkü söylediklerim benzerli sözler değil.

ANIDAN

Anı görmüş-geçirmiş bir ormandır,
Sırasında susar, başlar boyunca.
Bir uçurum, bakılmazsa bir dağdır,
Aklı yaylar yaşamalar boyunca.

Anılar da kendileriyle dolar,
Duyguları ürpertirler bir yandan.
Geleceği geçmişleriyle doyar,
Aklı zorlar uçurumca insandan.

Doğanın da gururu dağlar mıdır..
Ve korkular dağları da tutarlar.
Karşılıklı durarak ağlar mıdır,
Ağlarsalar, önce kim, kime ağlar.

BİRİ

Ona seni anlattı, sana onu anlattı..
Başı ona anlattı, sana sonu anlattı..
Yarım-yarım yaşayan darmadağın evlere
Birin ne kadar bütün olduğunu anlattı.

VARI

Kazandıklarım bitti, yitirdiklerim kaldı.
Söylediklerim yitti, dinlediklerim kaldı.
Bir bilmek ülkesinin düşün-ili'ne vardım;
Öğrettiklerim gitti, öğrendiklerim kaldı.

ÇAĞRIM

Biri olsa, biri gelse,
Ilım - ılım, diri gelse,
Sözün-sözün eri gelse,
Dimdik, yalın, dursa/ya.

Gözüm-gözüm akılardan,
Duyum-duyum takılardan,
Uzak, yakın yakılardan
Duru-duru baksa/ya.

Soğuk olsa, dese ısıt,
Karanlıksa, dese ışıt,
Buram-buram dese işit,
İçin-için varsa/ya.

Birim-birim yanaş olsa,
Dirim-dirim söyleş olsa,
Adım-adım yaklaş olsa,
Can-can, kan-kan baksa/ya.

Sular gibi paklayarak
Kuşlar gibi şakıyarak,
Adım dese, çoklayarak,
Güneş-güneş yaksa/ya.

Özüm-özüm gözü göze,
Süzüm-süzüm sözü aza,
Düğüm-düğüm bizi bize,
Birden tüme katsa/ya.

İÇERİK

Herkes seni yazamaz, dolduramaz içini;
Deney, sözlüklerdeki resimli kantar değil.
Yüzmek başka bir olay, onu okumak başka;
Denge öyküde kanat, denizde mantar değil.

KÜTÜK

Çocukluktan geçerken, A-B diye ayrıldık..
Okullara yöneldik, A-B diye ayrıldık..
Dağıldık konularca zamanlara, yerlere;
Düşün'de, davranışda, A-B diye ayrıldık.

SÖZ

Benim en sevdiğim söz senden duyduğum ben'dir.
Hep yinelediğim söz sana koyduğum ben'dir.
İyi olmak adına bilgiç olmak istemem,
Seni senlediğim söz, bir-bir oyduğum ben'dir.

ÖZET

Seni büyük buldum, anladım,
Seni güzel buldum, korudum,
Seni küçük buldum, uyardım,
Seni yakın buldum, uyudum,
Biri yanlış idi, unuttum.

PEYZAJ

"Et son front, etait nu,
comme une place vide
entre deux armées"

(Galiba) SULLY PRUDHOMME

Buram-buram ışık saçan,
Alın denizlerinden geçen
Sönük bir gemidir yalnızlık;
Gözlerde dumanı kalır.

Umudları içtikçe içen,
Yoğunlaştıkça çöken
Ardındaki karanlık,
Bir de limanı kalır.

Sözlerdir anılarda çakan,
Boyuna kıyılara çeken,
Fener, onda da, bir an'lık
İzlerin kalanı kalır.

Gözlerden saldıran, kaçan
Yengiler, yenilgilerdir uçan.
Kimsesiz, çorak, yanık,
Uzanan alanı kalır.

DÜŞÜNSEL DOĞA

Üç güzel var, biri
Birinden de güzel.
Eski öykülerden
Hep dinledikleri
Şirin'den de güzel.

Ora'da, bura'da,
Görüp bildikleri;
Düşünsel doğa'da,
Nur'un dedikleri,
Renginden de güzel.

Ateşin, güneşin
Yansıdığı yerde,
Değil aklın-başın
Uyandığı yerde;
Kendinden de güzel.

Düşünsel doğa'nın
Bu masal güzeli,
Yüreğinden aklın
Uzanırsa eli,
Der, hepsinden güzel.

KATMER

Bensiz seni/benden başkası anlamaz,
Sensiz beni/senden başkası anlamaz,
Senden, benden/bize olanca varmadan
Bizsiz bizi/bizden başkası anlamaz.

YAZI

Orada bir dolap var,
Dolapda bir şişe var,
Şişeye şarap damlar,
Dolar bitmişe kadar.

Yanında bir adam var,
Adamda bir düşün var,
Düş'ündeki dalgalar
Gelir, gitmişe kadar.

Aklında bir kadın var,
Kadında bir boşluk var,
Onu kendine boyar,
Çeker, itmişe kadar.

İçinde bir çocuk var,
Çocukta bir gıcık var,
Susar, şişeye bakar,
İçer, yitmişe kadar.

Önünde bir yazar var.
Yazarda bir sezer var,
Döner, yazıya bakar,
Siler, ditmişe kadar.

YALIN

Uyurken, uyanırken kendine sor ne diye,
Anarken, unuturken, neyin yerine diye.
Kimi gittikçe kalır, ululuk taslamaktan,
Kimi kaldıkça gider, yürür kendine diye.

YAKINIŞ

Bir şiir derledim de bir yaşamın ardından,
Ne yazdıranını ne yazanını sordular.
Kalanın gidenine, gidenin kalanından
Ödeyenini değil, kazananı sordular.

İŞ

El işi nerde olsa altın'dan değerlidir,
Alım'ın satım'ın da katından değerlidir.
Değer'in de adını değerlere el verir;
Adının işlenişi adından değerlidir.

UYUMAK

Uyku adı altında beni yoklamaz ölüm,
Neleri yaşadımsa uyanıklıkta gördüm.
Uyurken geçenlerin sormadım adlarını.
Kaçı kaça böldümse yaşanırlıkta böldüm..

Uyku adı altında beni yoklarsa ölüm.
Ki ben tüm uykuları hep uyanıkken gördüm..
Neden mi ben kendimin sorardım adlarını?
Anlasınlar diyedir, ben nasıl, nerde öldüm.

DEMEK

Yanıldın, yanılttılar, sence bildiklerinden,
Uzaklar ve yakınlar, önce bildiklerinden.
Dönüp-dolaşıp sende, birikti, söyledimdi,
Ne gözle, ne de sözle diyemediklerinden.

ISLIK

Ben benden de başlar, ben senden de başlar.
İlgi dışından da, içinden de başlar.
Senden, benden, ondan sevi türküleri
Giderek yayılır, evrenden de başlar.

AKIL GÖZÜ

Seni bulmaktan önce aramak isterim.
Seni sevmekten önce anlamak isterim.
Seni bir yaşam boyu bitirmek değil de,
Sana hep hep yeniden başlamak isterim.

BEKLEMEK

Birini birine götüren bu tren,
Birini birine getiren bu tren,
Birinden birini almış ayırmıştır,
Çekip koparmıştır birini birinden.

Ben hangisi oldum, ilkin trene sordum,
Sana, ona ve bir de kendime sordum.
Gündüzün gecede okunduğu anda
Ben kimse gelmesin diye bekleyordum.

DOKUZA KADAR ON

Önce hepsini yazdım, sonra hepsini çizdim.
Yazıp çizdiklerimden çıktı kara bir resim.
Baktım, orada, bir-bir duruyor sevdiklerim.

Bakıyorlar ardından, yazıp çizdiklerimin,
O, yazarken ya da çizerken bilmediğim..
Bilmeden yazdıklarım, bilmeden çizdiklerim.

Beni çizdi sonunda, yazıp da çizdiklerim.
Bana gülüyor şimdi, yitip-yitirdiklerim..
Çizilmemiş olanlar, yazmayıp bildiklerim.

Ah "bilip ettiklerim, bilmeyip ettiklerim."

ANSIZIN

Ben sensiz olanlara seni aratıyorum,
Ben sensiz kalanlara seni yaratıyorum,
Seni saklayacağım, seni yazıp-andıkça
Kendimi çoğaltıyor, seni kuşatıyorum.

Unutturmayacağım, seni yaşatacağım,
Kendimi çoğalttıkça seni kuşatacağım,
Her zamanda, her yerde sen bende yaşadıkça
Sen evreninde sana seni aratacağım.

SICAK ŞARKI

Ne zamandır bir şeyler var, birikiyor azalarak,
Yüzünüze, sesinize, sevginize sakladığım.
Azaldıkça parıldayor gözlerimde, bakma, bırak,
Yüzünüze, sesinize, sevginize sakladığım.

Bakmazsanız azalacak, birikerek azalacak.
Bakarsanız daha da az, ama daha, daha parlak
Birşey'ler var, dinlerseniz, duyarsanız, sizin sıcak
Yüzünüze, sesinize, sevginize sakladığım.

OLMAYACAKSA

O gider buralardan, sen döndüğün bir günde..
Aranırken onu sen başkaları yüzünde.
Işık olur tararsın karanlıkları bir-bir..
O güneş gibi parlar, sen söndüğün bir günde.

Yaşamın aramakla olgunlaşıp yitmiştir;
Kocaman bir ağacın tek bir yemişi gibi..
Karamsar bir öyküdür, bir sence değerlidir;
Yalnız masal ulu'su bir dağ ermişi gibi.

GÖLGENİZ

Bir zamanlar yaralanmış gölgeniz
Yalnızlığa ısılanmış geliyor..
Şiirlerde şarkılaşmış seslerle
Duyularla durulanmış geliyor.

Her uykumda uyanıyor gölgeniz,
Gözlerime uzanıyor gölgeniz,
Karanlıkta ışıklaşmış renklerle
Özlemime boyanıyor gölgeniz.

BEKLEYEN ŞARKI

Sizin için yola çıkmış bir şarkı,
Düşünülmüş gözleriniz üstüne.
İçin-için yaratılmış bir şarkı,
Bırakılmış yollarınız üstüne.
Sizsiz sizi yaşanılmış bir şarkı.

Seslerini uzağınız derledi,
Sözlerini kulağınız derledi,
Anlamını dudağınız derledi,
Sizsiz size uzanılmış bir şarkı;
Özlemini kucağınız derledi.

SENDEN

Seni, senden de yakın, yalnız ben tanıyorum,
Sana, seni en sıcak bir ben anlatıyorum.
Kimse varamaz senin ben kadar yakınına;
Çok zamanlar kendimi sanki sen sanıyorum.

Sana seni anlatsam, anlatırım kendimi.
Sende seni ararken kendimi arayorum.

MAYA

Bizi anlatmazlardı sen sen, ben ben demeseydim
Sen de ben demeseydin, ben de sen demeseydim.
Bir öykü yürümezdi ben'ler, sen'ler katında,
Sen bana demeseydin, ben sana demeseydim.

ÇİZGİ

Kendimi sileceksem, bilirim sende varım.
Senin ben yarısıyla seni ben tamamlarım.
Seni sende bütünler, sana sende inanır,
Seni sende silerim, seni bende yazarım.

KİN

Nedir ki o, seni aydınlatırken,
Kararan yandığı, durduğu yerde.
Nedir ki o, seni yaşayıp ölen,
Sana hep kendini vurduğu yerde.
Nedir ki o, seni susan, söyleyen,
Özleyen, tam kendi olduğu yerde.

YANIK

Ağladığımı gör deye ağlamayorum;
Ağladığım için ağladığımı görüyorsun.

YOKKÖY

Orası bir yalan artık, bir yalan köyü;
Çoğalan yalnızlıkların azalan köyü.
Şimdi senin bunaldığın kaçmak kentinin,
Sandığını, bavulunu açmak kentinin,
Elinden anılarını da alan köyü.
Seni bekleyeceğini sanan kendinin
Düşlerini süslediği son kalan köyü.

ÖRGÜ

Ne olur seni ben ölmeseydim,
Göğümden düşerken görmeseydim,
Orada burada yoktu yerin;
Seni ben geceme örmeseydim.

GÖRMEDİM

Uyudum uyandım, seni görmedim,
İnandım, aldandım, seni görmedim.
Acıktığım sofralardan aç kalktım,
Seni nasıl aradım, nasıl aradım;
Anılarıma baktım, seni görmedim.

PARÇA

Kan gibi midir, sevgin - kutsal anılar
Ve umulardan gelen sessizlik..
Ya da nereden geldi bu yalnızlığa,
O kısalan yolumuzda bizsizlik.

Daha çok-var-gibi-sonsuzlu sanılan yol bitti mi?
O da gelecekti, geldi mi, gelmedi mi..
Oysa baş yer beklemenindi, beklenenindi;
Bildi mi, bilmedi mi, gitti mi?

YALNIZLIK

Ben hep senin çağrını çaldım,
Senden sessizlik yanıtı geldi.
Gelecekten beklenen ses yerine,
Geçmişin anısızlık anıtı geldi.

GEÇ

Sen bana ne söyledinse anladım.
Baktığımı görmedinse anladım.
Gittikçe sen olumsuzluk üstüne,
Karanlıklar özledinse anladım.

BİL

Kendini bir şeye bölmesini bil,
Bilmezsen, bir şeyi bilmesini bil,
Onu da bilmezsen, anlatıyorum,
Olan oluvermez, ölmesini bil.

BİR KADIN GÖRDÜM

Bir kadın gördüm,
Onun doğurduğunu gördüm,
Uyuttuğunu gördüm,
Büyüttüğünü gördüm,
Yorulduğunu gördüm,
Üzüldüğünü gördüm..
Bir kadın gördüm.

ÇEKHOV İÇİN

Hasta mı, doktor mu, adı Çekhov.
Usta mı, yazar mı, adı Çekhov.
Verdi mi, aldı mı, adı Çekhov.
Gitti mi, kaldı mı, adı Çekhov.

MOLİERE İÇİN

Bir oyunla örtülüydü o yalan,
Ağlanacak güldürüydü oynanan.
Çevresini küçüklerin sardığı
Gülmelerin arkasında ağlayan,
Aldanmamış aldatılmış bir insan.

YALAN YOLLAR

Yollar kıvrıla kıvrıla gitmemeye başladı artık,
Bırakmak daha kolay bir yeri, daha kolay varmalar.

Ama daha çabuk-çabuk kesişmeye başladı artık,
Karşılaştırmadan kestirme gidiyor-dönüyor yollar.

Bir su başındaki, bir dağ yolundaki ışık,
Artık kedilerin yansıtan gözleriyle bakıyorlar.

Kazalar da olmasa kaçamaklı, hızlı ve âşık,
Belki de insanlar yollarda hiç karşılaşmayacaklar.

Gittikçe çoğalıyor, artıyor bu doğasal ayrılık.
Uygarlık yolunda bundan böyle insanlar,
Yollarına döşendikçe bu düzlük ve kısalık,
Sanırım ölümde bile birbirleriyle buluşamayacaklar.

ÇELİK

Suyun içinde bir ateş var,
Biliyorsunuz,
Ateşin içinde bir su
Biliyor musunuz..
Dildeki yanlışlıklar
Diller dolusu,
Bilmiyorsunuz.

Bana sormadılar,
Biliyorsunuz,
Sorsalar söylemezdim
Söylerdim bilmiyorsunuz,
Oncalarına bunca sözü,
Kucak dolusu.

ÖLÜMÜN YÜKSELİŞİ VE ÇÖKÜŞÜ

Ne zaman bir yakını ölse birinin,
Onu ilk-ölüm sanır kalır o.

Ne zaman bir sevdiği ölse birinin,
Onu en-ölüm alır kalır o.

Ne zaman bir saydığı ölse birinin,
Onu hep-ölüm bulur kalır o.

Ne zaman bir-bildiği ölse birinin,
Onu son ölüm sayar kalır o.

Ne zaman bir umduğu ölse birinin,
Onu yok-ölüm duyar kalır o.

Ne zaman bir her şeyi ölse birinin,
Kendini ölümlere yaşar kalır o.

Ne zaman bir kendisi ölse birinin
Ölümlerde kendini yaşar kalır o.

PALYAÇO

Ben birisini öldürecektim,
Ama kimi öldüreceğimi unuttum.
Ben kin güden bir kişi değilim..
Yazık, kimi güldüreceğimi unuttum.
Ben bunları size bir-bir anlatacaktım.
Ağlatırım korkusundan ağlayacaktım.

PAGLİACCİ

Unutmayı öğrendim, unutmayı unuttum,
Unutmaya giden unutmayı öğrendim.
Bir yalan hazırladım, ilk başkasından duydum,
Yüzüme susanlardan konuşmayı öğrendim.

KAN GİBİ

Niçin bırakmazlar bizi insan-insan,
Seni de, beni de kırdılar insan-insan,
Ben onun kırıldığına kırıldığımdan,
O da benim kırıldığıma kırıldığından.
Bırakmadılar kırılalım insan-insan.

BURUK

O zaman bağırdım durdum onlar
Konuştukça benim susuşum kadar.
Şimdi durup durup bağırıyorum,
Sustuğumca konuşuşum kadar.
Yakın-uzak açılardan çağırıyorum;
Neden böylesine uzaktalar.

KURD

Ora'dır kişinin kurdu,
Bura'ya uzanıp durdu

Birinin içine düşüp,
Yüreğine dek yürüyüp,
Kendince birini vurdu.

Ora'da özlenen zaman,
Bura'da yaşanılandan
Belki de daha durgundu.

Ora'ya, ora/hep ora,
Düşürüp, yorgun, yollara,
Geldikçe o gidiyordu.

Ne kadar giden olduysa,
Bura'da biten olduysa,
Ora'da kurdunu buldu.

Ora'yla tedirgin olan
İçini yaşayamayan,
Bura'yı bulamayordu.

Ora'ydı kişinin kurdu,
Bura'dan can alıyordu.

KÖPRÜ

Nicedir düşünür durur,
Bir yamaç öbür yamacı.
Adını ortak paylaşan
Bir kıyı, karşı kıyıdan
Duyuyor esen bir acı.

Bir kaya, bir kayaya der;
Sende mi, bende mi sancı.
Eş-güneş, eş-su'yla parlar,
Biterken doğada yollar,
Kalmanın başlar utancı,

Altından üstünden geçer
Hayvanın yalın kıvancı
Bir yere, ya da bir şeye,
İnsanın bir-an-önce'ye
Hız ile varmak amacı.

Yaşamdan ölüme kadar
Kalacak yüzünde hıncı.
Bir dünden bugüne kadar
Yönümüz olmuş ora'lar..
Şaklıyor yüzde kırbacı.

BİLDİRİ

Bizler savaş ölüleriyiz,
Bundan böyle karşı-karşıya değiliz;
Bildiririz.

İZM ÜSTÜNE

Bir düşün izm'e varmaz, bir sözcüğü dönükse,
Bir anlamı eğikse,bir kavramı soluksa.

İnsan zor birulusdur, kendi evinde yaşar,
Isınmaz neler yoksa, bir odası soğuksa.

Aydınlanmaz tepeden, kuş-bakışı gözlere,
Bir ülke karanlıktır, bir sokağı sönükse.

Bir adım aksadı mı, bin adam yuvarlanır;
Bir müzik özgünleşmez bir notası bozuksa.

Bir ordu darmadağın olur bilisizlikten;
Delice ya da uslu düşlerle beslenlikse.

Bir zincir zincir gibi, bir çizgi çizgi gibi
Olmaz, tek bir halkası, bir noktası çürükse.

Akıl bir düş değildir, masalı uykuların,
Sisde yolunu bulur, istenen seçiklikse.

Toplumsal amaçların somut uydusudur izm;
Kişilere tanınmak istenen kişilikse.

TARİHDEN BİR YAPRAK

Önden giden, dursa-yorulsa-otursa;
Ardından gelenler, onlar da durursa;
Ne gitmeye giderler, ne varmaya varırlar.
Hele bir de yolları da uzunsa;
Ne dönmeye dönerler, ne kalmaya kalırlar.
Düşüşün donukluğu yüzlerine vurursa;
Ne vermeye verirler, ne almaya alırlar..
Ben'lerini kendinden başkaları korursa,
Bir tarih çukuruna doğru yuvarlanırlar.

İKİ İKİ

İki köy vardı, iki de hastalık adı;
Biri bir köyün kapısına dayandı,
Öbürü öbürünün.
O ülkenin o iki köyünün
— İki gözüm kör olsun —
Birinde çocuk kalmadı,
Birinde adam kalmadı.
Köylerin adı dursun,
Sorduğum,
Hastalıkların adı.

ÖLÜM

Ölüm; ben onu çiçeklerle giderken gördüm.
Ölüm; ben onu yaşamları bilerken gördüm.
Obur doymazlıkların obur açlıklarında,
Ölüm; ben onu, varlıkları silerken gördüm.

Ama bir de yokluğun ve yüreğin önünde;
Ölüm; ben seni utanç ile titrerken gördüm.

BAŞ

Susmalar düşünmenin yoğunluğunda erir.
Söylemler dinlemlerin büyüklüğünde erir.
Suskulara gizlenir korkularla yalanlar.
Bilmemeler bilmenin yorgunluğunda erir.

Böyle değiştirilir eskimiş uydurular,
Yaşlar yetişmişliğin olgunluğunda erir.

İKİ NOKTA: BEN-BİZ

I-BEN

Bir kavramı aldım, aklıma astım,
Uyudum-uyandım, yattım-kalktım.

Ne o durdu-yoruldu, ne de ben,
O bana baktı, ben ona baktım.

Çocuklar gibiydi, hep kendinceydi;
Ateşi bir o yaktı, bir ben yaktım.

Ne güzellemeler oldu, ne süslemeler;
Kırılan anlamları onunla onardım.

II-BİZ

Bir noktaydık onunla ikimiz,
Bir çizgi olduk evreni dolaştık.

Çizgimiz büyüdü, gitgide yürüdü;
Yolumuzda boy-boy anlam noktaladık.

Biçimler, durumlar, tutumlar doğdu,
Anlatımlar sürdürdük, konulandık.

Konular konuları aşıladı, yapısal,
Bağımızı-bahçemizi donandık.

ROMAN

Roman bir adamın adıdır,
Bir başka ada bakan,
Duysan-duymasan
Seni anmalıdır.

Roman bir adın yaşamıdır,
Başkalarınca da yaşayan;
Okusan-okumasan
Sana uzanmalıdır.

Roman bir yaşamın anlamıdır,
Düşünmeden varılmayan;
Anlasan-anlamasan
Sana bulanmalıdır.

Roman bir anlamın dağıdır,
Yarasız çıkılmayan;
Korksan-korkmasan
Seni kuşanmalıdır.

Roman bir dilin dumanıdır,
Tüter evren sobasından;
Üşüsen-ısınsan
Sönmeden yanmalıdır.

TAM-TAM

Dördü ikiye bölenler
İki iki elde ederler.
Alırlar ikinin birini,
Öbürünü bırakıp bana
Nerelere giderler.

Üçü üçe bölenler
Üç bir elde ederler.
Üçlerden bir üç'den;
Alırlar da üçün birini,
Neler düşünürler.

İkiyi ikiye bölenler
İki bir elde ederler.
Hangisidir bir tek,
Öbür bir buna ne der,
Neden belirlemezler.

Biri ikiye bölenler,
Beni sana bölerler,
Seni bana bölerler,
Aşkı sevgiye tam-tam,
Pay-pay bizi bize bölerler.

ORAN

Heykel gel der sana, sen
Geçerken ya giderken,
Gel der.

Bunu, çağrı'ya eşit,
Kimi gel sanır, kalır..
Kimi git anlar, gider.

Heykel, der kimisine..
Kimi de heykele der,
Geçer.

UYGUN ADIM DÜŞÜNMEK

Oyuncak bir musluk gördünüz mü?
Ben çok çok oyuncak askerler gördüm.
Oyuncak bir tava gördünüz mü?
Oyuncak ben tanklar, tüfekler gördüm.

BÜROKRASİ

Kim ne derse desin firen bürokrasidir.
Cücelerle kolkola giren bürokrasidir.
Bilenler bilmeyene anlatmalı bu yolda
Bence en yavaş giden tiren bürokrasidir.

BÜYÜMEK

Gelirken nasıl da ışıldamışlardı,
Giderlerken dayanılmaz unutulmazlıkları.

Yeniydiler, eskidiler, kaldılar belleklerde,
Anılarda direniyor savunulmazlıkları.

Yok oluyordu büyürken, yeni bulgularla,
Dirençlerinde boşalıyordu var sandıkları.

Yarınsız seviyorlardı uzak, sönük,
Boyuna kendileriydi kucakladıkları.

Duranlara unutuldu ekledim,
Büyüdüm, o kadar üstüme vardıkları.

Yumuşak yatkınlıklarda mı kalacaktım,
Onların oralarda uysal barındıkları.

Durdurdum istemeden de olsa, onlara,
Kuşkusuz, candan olaydı durdukları.

Şişmanlıyor, yoruluyorlardı bencil, ürkek,
Gittikçe azalıyordu bilip sordukları.

Yitirdiğim yerde tek-tek, küme-küme,
Nasıl çıkarlar artık ara basamakları.

Büyümek sevdiklerin azalması bir yerde,
Öbüründe, tamam mı, olup-olmadıkları.

KÖYÜN

Köyünde kötü olan,
Kentte ne yazar..
Söyleyin ne yazar?
Yazsa bile
Belleğinde kim saklar.

YÜK

Bir öykü var, sakladığın,
Bir öykü var, ardında duran,
Bırak onu, uyansın.

Şimdi sen bir anı düğümü önünde
Duvarcana uzanıp duran,
Taşlaşmış yükünle uyuyansın.

BİZİM

Yalan, bizim dilimizin değil,
Uzun, bizim yolumuzun değil,
Az, bizim yazgımızın değil,
Öz, bizim dışımızın değil,
Ya hiçimizin, ya hepimizin;
Bazı bazımızın değil.

ÖĞRENİ

Okullarda okudum, iki ders arasında..
Sınavlara çalıştım, iki ders arasında.
Kazandıklarım yitti, kafam yerine geldi;
Yaşamımı sürerken iki ders arasında.

TARTI

Bilgisizin yanında bilgi'den söz etmeyin,
Bilgin'in yanında da bilgi'den söz etmeyin
Cücenin de, dev'in de eremediği vardır;
Ne altından ve ne de üstünden söz etmeyin.

ARGO

Ağacı sevecektiniz,
Yoldunuz, dal bırakmadınız..
Yılına al bırakmadınız,
Yemişini yiyecektiniz.

Kadını sevecektiniz,
Aldınız, ver bırakmadınız..
Sevi'ye yer bırakmadınız,
Ona ben değil, sen diyecektiniz.

Büyünürken zamanla,
Küçüldünüz zamanla,
Arıları kovdunuz dumanla,
Kovanda bal bırakmadınız.

Sobayı söndürdünüz,
Isıyı öldürdünüz,
Hava basıp üfürdünüz,
Mangalda kül bırakmadınız.

Parayla yamalı bohça'da,
Kapanık, dar bir açıda,
O caanım ikili bahçede
Bir renk, bir gül bırakmadınız.

Bir eliniz vardı, bir cebiniz,
Başınıza vurdu keliniz,
Alıp sattınız hepiniz,
Depoda mal bırakmadınız.

KARA GÖMLEK

İnsan araç edilmez hiçbir yolda, bir yönde;
Kargaşa tokmağında çalınan davul olur.
Sepete su koyanın sepet kalır elinde,
Yerlerde süre-süre taşınan bavul olur.

KARŞI

İnsan yaşantısını bölen başa karşıyım.
Uygarlıkta, sevgide ben yavaşa karşıyım.
Onca bağırıyorum, bağırıyorum onca;
Uyuşuk bakışlara ve savaşa karşıyım.

YER-ÖPMEK

Herkes kendi tarlasını sürerse,
Herkes kendi örgüsünü örerse,
Herkes kendi öyküsünü sererse,
Herkes işin, işleriyle överse.

Bir işçidir, binlercesinden,
Düşünür olup olacağını;
Yeri elleriyle öper.
Bir köylüdür, köylercesinden,
Didinir, dalar bulutlara;
Yeri ayaklarıyla öper.

Bir taşıyıcıdır, onu-ona,
Ondan ona taşır da taşır;
Yeri terleriyle öper, yükleriyle öper.

Bir düşünürdür, dalar-gider,
Dalar-gelir, bakar-bakar düşünür;
Yeri gözleriyle öper.

Dokunan doku, ekilen tohum,
Taşınan yük, düşünen beyin,
Yeri yerleriyle öper.

Yere son düşmedir ölüm,
Kalanlar yeri düşleriyle,
Ölenler kendileriyle öper.

KUTULAR

Ellerinde kutular, renk renk, boy boy kutular,
Ne buldularsa onu kutulara koydular.

Ne mi güzel, ne mi tek, sırası gelir bir gün
Açıp bakarız diye kutuya doldurdular.

Bir büyük sofrada mı, bir yüce şölende mi,
Biz de açıp çıkarız, bir kutu uydurdular.

Kutular doldu taştı, açtılar kutuları,
Kendilerini aç-aç kutularda buldular.

Kutulara koyanlar doymaz açlıklarını,
Kendi açlıklarıyla kendileri doydular.

YÜZMEK

İki en zoru'dur;
Söylemesi, saklaması.

Üç'ün bölünmek düşleri,
Bir kendisi, bir başkası.

Bir'in ikizi yok,
Anması, unutması.

Ötesi sayılardır,
Toplaması çıkarması

Gittikçe çok kalabalık,
Ölmesi, kalması.

Yüzmek, nerede olsa,
Başlaması, varması.

Yetiyor mu, daha çok,
Üşümesi, ısınması.

Kimi çağırıyorlar,
Bir borunun çalması.

YAZISINI BEKLEYEN BİR TAŞ İÇİN BİR YAZI

Güzel çirkinliklerle, çirkin güzellikleri
Değerlendiremeyen saraylar kuruluyor.
Değerlileri satıp tüm değersizlikleri
Pazara sürmek için pazarlar kuruluyor.

GİBİ

Sözlüklerde aradım, yorgun, yıpranmış sözü;
Zıtlarla benzerleri koynunda barındıran..
Tüm öbür sözcüklerle eş-anlam'lı: GİBİ'ydi.
Alıştığından kolay-benzetme'lere, gözü
(Komşusuna nur-topu bir oğlan kazandıran)
Komşunun karısında delikanlı gibiydi.

ŞEY

Bir gün sözlüğü açtım, ŞEY nedir diye baktım;
Gördüm filozoflarla düşüp-kalkan bir kadın.
Ardından dediler ki sonra okuduklarım:
Bugün duruşması var ağır-ceza'da onun;
— O, kimseye yaar-olmaz, aman inanma sakın —
Sığınmış, yatağında uyuyorken, dostunun
Ortağıyla, bir-olup, dostunu vuran kadın.

TEORİ

Kiloya neye bin gram,
Metreye yüz santim dediler,
Birinciyle ne aldılar, ne sattılar,
Ne pişirip, ne yediler,
İkinciyle ne ölçtüler, ne biçtiler
Anlamadım, anlamam,
Santim-santim, gram-gram.

SON DERS

Birisi gelse, dese;
Tarih, coğrafya, hendese.

Biri giderken sese,
Seslere bir ses verse.

Biri de kalsa, yerinde,
Kendisi olsa - yer verin de.

Bir başkası olsa, yerinde
Kalksa dese: kim kimin neresinde.

Biri de yerinden dese;
Son verelim bu derse.

YALNIZLIK PAYLAŞILMAZ

Sözün bitim yerini
olay ya da konu seçmez,
söz seçer.

Başlangıcını da
olduğu gibi.

ŞAKA DEĞİL

Yer altından dinleniyoruz;
Tedirginliğimiz ondan.
Seslerimizi dinliyorlar,
Ölülerin katında biriktiriyorlar;
Suskunluğumuz ondan.
Bugün son sevişmelerimizi gözetleyorlar,
Her neyse..
Yarın düzenleyecekler aşklarımızı,
Ner'deyse.
Huzursuzluğumuz ondan.
Perdeleri kapatmalı mı?
Perdeyse.
Yaşamlarımızın, doğumlarımızın
Tadı kaçmadan..
Gökteyse, yerdeyse,
Bir şeyse.

Çarpık çizdiriyorlar,
Karanlık yazdırıyorlar,
Canından bezdiriyorlar..
Kırgınlığımız ondan.
Acı-acı güldürüyorlar..
Hırçınlığımız ondan.
Ağlamaca karamsarlık tütüyor
Buram-buram
Konularımızdan..
Burukluğumuz ondan.

Bugünden tezi yok diyorum,
Korkmadan, utanmadan
Soyunup pazar enayiliklerini,
Giyinip sevi giysilerini
Bir bayram denemesi yapmalıyız..
Sayılı günler başlamadan.

BAŞLIK

Zamanın, ateşin ve ölümün
Boyası beyaz.

Aşkın, yalanın, kinin rengini
Kırmızı yaz.

Düşlerin, sevi'nin ve saygının giysilerini
Maviye boya.

Yoksulluğun, umutsuzluğun ve ayrılık gömleğini
Kara çiz.

Uzağa değil, usta
Öteye hep öteye gitti;

Yalnızlığı ondandır.

AŞK

Sen kocaman çöllerde bir kalabalık gibisin,
Kocaman denizlerde ender bir balık gibisin.
Bir ısıtır, bir üşütür, bir ağlatır, bir güldürür;
Sen hem bir hastalık hem de sağlık gibisin.

O VAR

Gözlerimizin önünde
İlginç bir yaşam sürdürdü.
Anlattı, dinledi, güldürdü,
Ölümü düşünmüyorduk,
Düşündürdü.

DİYEK

Türkiye'de İstanbul ne ise,
İstanbul'da gece ne ise,
Gecede yürümek ne ise,
Yürürken düşünmek ne ise,
Seni unutmamacasına düşünmek ne ise,
Unutmamanın anlamı ne ise,
Seni sevmek ne ise,
Saklayayım, yok söyleyeyim derken
Birden aşka düşmek ne ise.
Her neyse..

UZUN BİR ÖYKÜ

Hiç kimsenin kafesine
Koyamayacağı bir kuş..

Kaçmasını öylesine
Uçmasını böylesine
Unutmuş.

Bir insan sesine
Gelip konmuş.

UMUT YAPRAKLARI

Öyle bir ilkyaz ol ki korkut yaprakları,
Öyle bir son yaz ol ki tut yaprakları,
Sararıp dökülürken güz rüzgârlarında
Ardında savrulsunlar, unut yaprakları.
Sevinçlerinde onlar vardı, hüzünlerinde onlar
Seninle yeşerdiler, seninle soldular..
Olsunlar senden sonra da umut yaprakları.

GÜLDEN GELEN

Açılmış bir gül kadar bütündür solmuş bir gül,
Dalından başlayan bahçeleri düşündürür.
Soğumuş özlemlerin uzak kuytularından
Kucaklar bir kadını, bir anıya öptürür.
Yalnızlığının yorgun ılık uykularından
Alır onu tomurcuk günlerine götürür.

İLK

Biri vardı, o ilk ağlamayı bulup
Herkesi güldüren.
Sonra da bunu unutup
Ağlarcasına gülen.

Benim heykellerim de benimle kımıldar.

BİLDİĞİM

Sana bakmaktan
Onu göremiyorum.
Bilmiyorum bunda ne var..

Bunu ben anlamam,
Bir o var,
O anlar.

ÖZLEM

Bir gece,
Gecede bir uyku..
Uykunun içinde ben..
Uyuyorum,
Uykudayım,
Yanımda sen.

Uykumun içinde bir rüya,
Rüyamda bir gece,
Gecede ben..
Bir yere gidiyorum,
Delice..
Aklımda sen.

Ben seni seviyorum,
Gizlice..
El-pençe duruyorum,
Yüzüne bakıyorum,
Söylemeden,
Tek hece.

Seni yitiriyorum
Çok karanlık bir anda..
Birden uyanıyorum,
Bakıyorum aydınlık;
Uyuyorsun yanımda..
Güzelce.

MUM ALEVİYLE OYNAYAN KEDİNİN ÖYKÜSÜ

I

Bir mum yanıyordu bir evin bir odasında.
O evde bir de kedi vardı.
Geceler indiğinde kendi havasında
Mum yanar, kedi de oynardı.

Mumun yandığı gecelerden birinde
Kedi oyunlarına daldı.
Oyun arayan gözlerinde
Mumum alevi yandı,
Baktı,
Mumun titrek alevinde
Oyuna çağıran bir hava vardı.

Oyunlarını büyüten kedi büyüdü
Kendi türünde çocukçasına,
Döndü dolaştı, yavaş yavaş yürüdü
Geldi mumun yanına, oyuncakcasına.
Bir baktı, bir daha, bir daha baktı
Mumun alevinin dalgalanmasına
Uzandı bir el attı.
Bıyıklarını yaktırmadan anlamayacaktı..
İlk kez gördüğü mumun yakmasına
İnanmayacaktı.

Kedi oyunlarında büyüyordu,
Mum, üşüyordu yanmalarında.
Zaman ikili yürüyordu
Aralarında.
Bir ayrışım görünüyordu
Birinin yanmalarında
Öbürünün oynamalarında.

Kedi oyunlarında büyüyordu,
Yitirerek gitgide oyunlarını.
Mum küçülüyordu yanmalarında,
Yitirerek gitgide yakmalarını.

Oynarken büyüyen kedi yanacak,
Aydınlatırken küçülen mum yakacaktı.
Küçülen yaka-yaka aydınlatacak,
Büyüyen yana yana anlayacaktı.

Bir mum yanmasından
Ve bir kedi oyunundan
Kaldı sonunda
Bir gecenin tam ortasında
Bir evin bir odasında
Göz-göze susan
İki insan.

II

Mum yandı bitti
Kedi büyüdü gitti.
Oyunlar karıştı gecelerde
Suskun uykusuzluklara.

O iki insandan, sonunda
Birinin anılarında kedi,
Birinin dalmalarında mum
Kaldı gitti.

Nerede bir mum yansa şimdi,
Nerede oynasa bir kedi,
Birbirine yansıyor, karışıyor gölgeleri..
Bugün dün gibi oluyor,
Dün bugün gibi.
Mum ellerimi tırmalıyor,
Belleğimi yakıyor kedinin elleri.

YALIN

Her seven
Sevilenin boy aynasıdır.
Sevmek
Sevilenin o aynaya bakmasıdır.

Her karşılaşmamızda kendine özgü gülümsemesiyle, elini kulağının arkasına koyup eğilir, kulağıma "onu bir daha oku" derdi Sabahattin Eyuboğlu.

ONARMAK ZORDUR

Şarkılar değil de
Hep kulaklar bitiyor,
Onarmak zordur.

Bir yürek üşümüş
Kapamış kapılarını,
Onarmak zordur.

Bir şey yitirilmiş
Hiç eskimeyecektir,
Onarmak zordur.

İnsanın içine düşen korku
Özgürlüğünden olmuştur,
Onarmak zordur.

Ölümü düşünmek yenilmek,
Sevmek ölümü yenmektir,
Onarmak zordur.

SESİN YARGILANIŞI

Savunmadan kendini,
Başı dik
Dinlemiştir duruşmayı,
Susmacasına.

Kim tutuklasa,
Ne kadar tutuklansa
Hep kaçmayı başarmıştır,
Kurtulmamacasına.

Hep egemen, özgür kalmış,
Tutsak almıştır güzelliği..
Aşkı sürgüne göndermiştir yataklara,
Kamçılarcasına.

Yaşlandıkça anlamlaşan,
Anıları unutulmaktan koruyan
Bir ulu bekçi, göze karşı,
Uyumamacasına.

Bir çiçek, hiç solmayan,
Hiç koparılamayan,
Hiç yalanı olmayan,
Sonsuzcasına.

MANTIK

Bir başdır düşünür bakar etikle estetik arasında.
Bir mermidir yatar kalkar namluyla el tetik arasında.
Aklıyla gönlünü okşar gönlüyle uyandırır aklını,
Her an bir ölüye ağlar yaşamlarla betik arasında.

UYKUSUZLUK

Uykusuzluk ve pencerede bir kedi
Gece boyu hiç konuşmadan durdu.
Yağmurlar yağdı, dindi,
Pencerede hep kedi,
Ne geceye girdi, ne de uyudu,
Baktı, baktı, baktı,
Belli değildi doğmadığı, doğduğu.

Sanki ona bir zaman
Hadi minderden in dendi.
O da şimdi, yola çıkıp bir duygudan
Pencerenin dışında duran
Bir geceden indi, odaya girdi.
Dedi:
Hadi şimdi sen de in uykundan.

Sevdi mi, sevmedi mi, belli etmedi.
Sürdürüp suskunluğunu
Bekledi.
Şimdi eski uykusuzluğunu
Yeni huysuzluğu besledi.
Aaaa..
Kedi bu uykunun içindeydi.

Ankara yolundaydı bir gece,
Bir gün Marmaris yolundaydı kedi.
Bütün uyku kapılarının önündeydi.
Mırmırları, tırmalamalarıyla
Bir kadının düşlerindeydi
Ve bütün hırçınlığıyla
Anılarının önündeydi.

ÖZEL BİR ŞİİR

Başında hiç sevmemek varken
Sonra anlamak var mı
Birden bir sevi dili.

Anılası bir geçitten ikili
Tam aldatırken ölümü
Sulamak bir yalan gülü.

Yıkanmayor çamaşır gibi
Konular doğuruyor
Yalnızın kanayan eli.

Saygılı sevgisizliklerle dolu
Işıldayan geceler,
Tüm uykusuzluklar uykulu.

Tüm sıcak yastıklar soğuk,
Sevgiler yorgun, yapay,
Açık gözler kapalı.

Bir dönülmezliğe düşmüş
Kim bilir kimlerin yolu,
O gidilmezliğe gömülü.

Akşamların kucağında değil
Kendi kucağında ağlayor
Hırçın sevgili.

ANMAK UNUTMAK

İki tür nokta var
Biri önüne ve ardına bakar,
Biri ardına bakmaz,
Ardını noktalar.

O YOLDA

Geliyor sandığım gidiyor çıktı.
Başlıyor umduğum bitiyor çıktı,
Üstüne-üstüne gittim, ne gidiş,
Altına-altına iniyor çıktı.

Uyu büyü dendi, düşüme gittim,
Haydi işe dendi, işime gittim,
Yaşa yaşa dendi, yaşıma gittim,
Yendiğim sandığım yeniyor çıktı.

Bozguna benzeyor, saklasam olmaz,
Eskiye yeniden başlasam olmaz,
Yakıştırsam olmaz, yazmasam olmaz,
Maviye boyadım, baktım mor çıktı.

Sapsarı saçlarım vardı, aklaştı,
Anılar üstüste bindi yükleşti,
Bir büyük oyunun sonu yaklaştı,
Tüm yanan ışıklar sönüyor çıktı.

Gözünde bir ışık, çağırıyordu,
Beşikte bir çocuk, bağırıyordu,
Öyle bir düğündü, çan çalıyordu,
Gel çanı sandım git çalıyor çıktı.

Kimler kimler yoktu bizim kervanda,
Birer birer indi hepsi bir handa,
Savrulduk sap saman biz bu harmanda.
Bir gidiş yoluydu, dönüyor çıktı.

GARİP KOŞMA

Güzeller yoldan geçer,
Gel desen gel'den geçer,
Kal desen kal'dan geçer..
Garibi umursamaz,
Giderek el'den geçer.

Garibin koşma düşü,
Yollara düşme düşü..
Tek-başına gidişi,
Boynu bükük duruşu,
Gider güzelden geçer.

ÇİÇEK SENFONİSİ

Çiçeklerin akşamlarını
Akşamların çiçekleri
Aydınlatır.

Çiçeklerin adlarını
Birbirlerine benzemezlikleri
Adlandırır.

Biri alır bir güneşi
Öbürüne yıldız sunar,
Biri öbürünü yağmurlandırır

Bir başkası bir güzelliği
Akıl almaz çalımıyla
Karanlıklandırır.

Bir düğünü aklandırır biri,
Biri bir yalanı silerken
Biri bir ölümü anılandırır.

Biri bekler sabahları,
Biri gündüz diye çıldırır
Bir başkası aydınlığı akşamlandırır.

Biri bağlar-bahçeler içinde nazlı,
Biri kendi kendini doğurur bayırlarda,
Biri kayaları ayaklandırır.

Pencereden bakar biri,
Biri el sürdürmez kimseye,
Biri kendini ağaçlandırır.

Tırmanır biri el ermez dikliklere.
Biri yerlere yaslar yüzünü
Topraklandırır.

Biri ordusunu yayar birdenbire
Tarlalara, öbek öbek,
Kanlandırır.

Biri şarkılarla gözleri besler,
Yeşillikleri ve sevgilileri
Umudlandırır.

Çiçekler hep bekler gibidir,
Oysa hiç beklemezler;
Biri arılandırır, biri kuşlandırır.

Biri rüzgârlandırır gönülleri,
Biri kızdırır soğumuş külleri..
Biri de kendini kucaklandırır.

Biri tek başına yürür yazgısında,
Biri sepetlerde demet demet
Ününü kaldırımlandırır.

Biri vazolandırır kendini salonlarda,
Biri kurur bir kitabın içinde,
Biri de kafes arkasında saksılandırır.

Çiçekler bir şölen yaşamda,
Renklerin en büyük orkestrası..
Dursuz-duraksız çalar her insanda
Sevinci, aldanıyı, ölümü ve yası.

OLMAK

Susmalarla içimde
Başımla gide-gide
Kâğıt kalem elimde
Gözümle konuşur oldum.

Bir babamdan, bir anamdan
Enine boyuna her yandan
Kimiyle kandan, kimiyle candan
Seviyle vuruşur oldum.

Ayrılık sonundaydı
Benim başımda durdu
Habire başıma vurdu
Bite bite oluşur oldum.

Her an bir gelen var gibi
Ha şimdi diyen var gibi
Sanki hep seven var gibi
Ev-ev, yol-yol taşınır oldum.

HOYRAT

Yüreğimdeki aklımda
Hep aklımda, hep aklımda..
Akıl kesildi yüreğim,
Yürek kesildi aklım da.

İMİŞ

Ben bir ayna idim
Baktılar, baktım.
Gördüler, baktım,
Baktılar gördüm.
Ne düğünler, ne doğumlar,
Ne ölümler gördüm.
En çok yalanlara öldüm.
Kırdılar,
Kırıldım artık.

Ben bir ağaçtım
Baltalandım.
Yonga yonga yongalandım,
Yongalarda yandım,
Mangallarda, sobalarda,
Yangınlarda yandım.
Budaklarla budaklandım,
Cilalandım, boyalandım.
Yaktım, yandım,
Yaktılar.
Yandım artık.

Ben bir çağlayandım
Bir ırmağa aktım,
Irmak oldum
Bir dereye vardım
Dere oldum
Bir nehire vardım,
Nehir oldum
Bir denize vardım.
Hep baktılar..
Aktım artık.

BAHÇEDE

Damla, kendini
tamamlayınca damlar.

Günlerin gecelere bağlanışında bir,
Gecelerin günlere uzanışında iki,
Birikmemi tamamlanmaktan koruyorum şöyle ki:

Önce bir şeyler yitiriyorum, somut şeyler,
Çakmak, tarak, kalem, çanta, saat, para gibi
Önemsiz şeyler.
Alışkanlığım tükenmiyor
Biriktirmeyi sürdürüyorum gene,
Usanmıyorum.
Biçimler, renkler, şişeler eskiler.
Unuttuklarımı saymıyorum çünkü unutmuyorum.
Azala azala yitmekten
Bir de bütünlenmekten ötede
Hüzünlü bir gecikme içine dalıyorum
Yalnız başıma
Özel yoluma sapıyorum..
Seziyorum,
Birileri özenle bana bakıyor.
Uykum kaçıyor, ne iyi diyorum,
Soyut şeyler karışıyor yaşantıma.
Elimi kesiyorum, kan akıyor,
Gizliden gizliye seviniyorum.
Öyle yalanlar saklanıyor ki gözlerime
Canım acıyor,
Deliriyorum;
Seviyorum neden sonra anlayorlar
Acı acı seviniyorum.

Gözüme ilişiyor, kulağıma ilişiyor,
Görmemezliğe geliyorum,
Duymamazlığa geliyorum,
Düşünmüyorum, öteye itiyorum.
Damlamıyorum.

Karnım acıkıyor, yemiyorum.
Betim benzim sararıp soluyor,
Adını bile anmıyorum.
Soyunup-giyiniyor karşımda
Bakmıyorum.

Her gün kirleniyor, görüyorum
Okuyorum ilkin
Bu yüzden her gün yıkanıyor, çirkin
Yaşını soruyor korkular, ürküler, rüyalar
Uyanıyorum, saymıyorum.

Özelliğini anlatıyor taşlar, topraklar
Sararan düşen yapraklar,
Kocaman kocaman ağaçlar,
Dinlemiyorum.
Tomurcuklara, çiçeklere bakıyorum.

DENİZE

Sen ey deniz;
Yeşil deniz, mor deniz..
Kırmızıyla yazılısın
Sevgilere ve ölüme

Göklerden bakıyorsun
Mavi-mavi, ölüme.

KÖREBE

Işıksız bir gölgedir yalnızlık,
Arar bütünlemeye bir başka yalnızlığı;
Yazık ki taa kendine dek.
İner dağından dağından,
Bulamaz bir ses, gel deyen, çağıran..
Gözlerine yönelmiş bir ışık.
Gölgesinde kendisi,
Gölgesinde ışıksızlık.

Gölge vermeyen bir ışık
Yalnızlığını sürdürürken sonsuza dek,
Arar kendini bütünlesin diye
Bir gölge, sessiz, yumuşak, uyuyan.
Arar tek başına, elleri yüzüne uzanık bir anlam,
Kendisini gölgeleyecek.

KAÇAK

Hep o eski deniz özlemiydi onu
Kentin oyalayan sokaklarından
Yaşam yorgunluklarının sonu
Güney kıyılarına atan.

Denize bakmak adına
Güneşde ürpertilerle yatan
Üşümüş, silik anılarına
Gülen denizi baktıran.

AKŞAMIN ÜSTÜ

Genç idik, umularla yalnızdık;
Anlamamanın gücü koşuşlarımızda
Ve konularımızda bir sürü yanlışlık.
Şimdiyse ağır-ağır iniş yokuşlarımızda
Yalnız yalnızlık.

YALNIZLIĞA ÖVGÜ

Mutluluğun gözü kördür,
Yalnızlık sağır.
Ondandır biri tökezleyerek yürür,
Öbürü uykusunda bile bağırır.

Mutluluk yalnız kendisini görür;
Unutur bu yüzden ilkin kendisini.
Yalnızlık kendi tutukluğunda özgür,
Boyuna bekler dönsün diye sesini.

Mutluluk alışır kendisine, ölümden beter;
Borçsuzluğuyla övünür, ama kedisi doğurmaz.
Yalnızlığın gidecek bir yeri yoktur;
Boyuna kapısına döner, açan olmaz.

Mutluluğun mezarları, yalnızlığın heykeli var..
Her ikisinin de saksılarında çiçek.
Biri hep başka bir renkle solar,
Öbürüyse ha açtı, ha açmayacak.

ÇAĞRI BALLADI

İçimiz dışımıza kolay yansır,
Saklasak saklamasak.
Önyargılardan uzak
Eğilip içimize baksak..
Dışımız içimize yansımıyorsa
Bir şey var ya da yoktur
İkimizden birinde.
Biri öbürünü ısıtmıyorsa
Bir de içimize baksak.

Belki derinde, taa derinde.
Sen benim yerimde
Ben senin yerinde
Unutulmuş olabiliriz;
Birbirimizi uyandırsak..
Desek birbirimize
Haydi kalk
Gidelim yerlerimize;
Belki birbirimizi bulabiliriz.

HALLAÇ

İçimdeki o hallaç
Vuruyor da vuruyor.
Acaba karnı mı aç
Soruyor da soruyor.

İçimdeki o hallaç
Atıyor da atıyor,
İster saklan, ister kaç
Duruyor da duruyor.

Biraz yün biraz pamuk
Yoluyor da yoluyor,
Uykuda da uyanık
Duyuyor da duyuyor.

Uyandırıp uykumda
Kıskandırıp duygumda
Buram-buram soluyuk
Yoruyor da yoruyor

Korkuyu bilmez yürek,
Toprak savuran kürek,
O hiç uyumaz köpek
Uluyor da uluyor.

YAPMA ÇİÇEKLER

Çırılçıplak bir kadın
İniyor güzellik dağlarının
Esmer akşamlarından,
Yalnızlığının ve yalanlarının
Karanlık uykusuzluklarına.

Ellerinde yapma çiçekler
Çiçekler yalana ve ölüme yakın
Kadının sakladıklarının
Günlere gecelere bölünmüş
Üşümüşlüğü
Bakın,
Sizlerle,
Yapma çiçeklerle örtülmüş.

Yapma çiçekler
Kadını kırmayın, rahat bırakın.
Yapma çiçekler
Solan renkleriyle ellerinde kadının
Bunu bilmeyecekler.

Yapma çiçeklerin renkleri soluyor
Kadının ellerinde.
Ah o çılgın renkler
Kadının gözlerinde
Soldukça kadın daha da esmer.

ADALI VE BEN

Adalı'nın alnına yazmışlar denizi
Sonra çizgi çizgi kesmişler,
Gömleğine dikmişler
Adalı'nın.

Adalı'nın kentte durumu yaman..
Gömleğim deniz diyor
Sorunca
Ama içki başına vuruyor, zaman zaman
Direniyor Adalı;
Tam kafayı bulunca
Ben sarhoş olmam
Benim her şeyim deniz diyor,
Boyuna adadan söz ediyor.

Takılıyorum,
Adalı diyorum, sevgilin de mi deniz
Sen ondan haber ver..
Susuyor dik dik bakıyor bana
Adalı beni sever,
Adalı bana küfür etmez..
Adalı diyorum boş ver
Bir başka yere diyorum gidip içelim bu gece..
İnsan sevdiği sürece
Uykusu gelmez.

Dalıyoruz bir gecenin içine..
Adalı bi sözümü iki etmez.

ANI ORMANINDAN ANILAR

Anmak kaçınılmaz bir gürültüdür, yankılanır da
Gider anılarına döner kendisine seslenir.
Aralık suskularda uğuldar, art arda aralıklarında
Kendisini silerken derinleşir, unuttura unuttura beslenir.

Söylemek bir başka şeyi saklamak
Da değil midir..
Dedim ama gözler de bakarlar da;
O ise yüzünde silinirken yüreğinde çizgilenir.

Anmalarda sesin rengi kendiliğinden değişir,
Dağlarını kurar yerleşir duygularda,
Yerin göğün uçurumlarıyla birleşir.
Anmak bir yürekliliktir korkularda.

Hırçın dalgalanmalarında dirilir
Yalnızlık denizinin gizli fırtınalarında
Kendi sorularını yanıtlarken delileşir.
Ama sana da seni sorar kendi yankılarında.

Anmak bir acıyı hep yeniden sormaksa,
Bir kırgınlık yanığında öyküleşmektir.
Dinmez burukluğunda bir ağrıyı susmaksa,
Sürekli yaralanmak, ölümle eşitleşmektir.

Solmaya karşı hep yeniden açan bir çiçek,
Sana kuytularından korkusuz seslenecek.
Bütün kapılarını kapatsan ölesiye dek,
Yakan bir ışıkçasına yüreğine girecek.

YALNIZLIK

I

Yalnız kaldınız sanırsınız,
Biliyorum.
Yalnız bırakılmışsınız,
Biliyorum.
Ötesi yok.

II

Ötesi var:
Yalnızlık
Müziğin bile seni dinlemesidir.
Yalnızlık
İnsanın kendine mektup yazması
Ve dönüp-dönüp onu okuması
Yalnızlığın da ötesidir.

YALNIZLIĞIN ADI

Derin bir uyku..
Düşümde
Düşündüm ister-istemez.
Aklıma takıldı
Yalnızlığın adı.

Tam o sırada
Bir sinek
Beni uyandırdı.
Gerçek bir sinek.
Yalnızlığın adı
Düşümde kaldı.

KARANLIK
HEP KENDİNE GİDER

Aydınlık
Karanlığa gider,
Seslenir:
Gel karanlık,
Der,
Seni aydınlatayım;
Görsünler,
Sende ışık pırıltısını.

Karanlık
Açmaz kapısını,
Bu çağrıdan ürker,
Ses vermez..
Bırakıp pılısını pırtısını,
Çeker gider.
Nereye gittiğini
Karanlıktan kimse görmez.

GÜNBEGÜN

Benim mezarlarımda ölü yok;
Hep yaşamış olanlar var..
Anılarımda bir yer
Dinmeksizin acıyor,
Günbegün,
Bundan.

Güldüğümü görenler
Bana bakıyor,
Görüyorum..
Ağlasam geçer,
Biliyorum..
Ağlanmıyor.

ÇAĞRIŞIMLAR

Çok küçük bir yalanı
Çok büyük bir orantıda
Dinlediniz mi..

Çok büyük bir yalanı
Çok yalın bir doğrultuda
Söylediniz mi..

Gecikmiş bir gizlemi,
Birikmiş bir özlemi
Sakladınız mı..

Gelmeyecek bir gideni,
Olmayacak bir nedeni
Beklediniz mi..

Bir gerçeği erken,
Bir açlığı tokken
Anladınız mı..

Hep mi hep ölecekmiş gibi,
Hiç mi hiç ölmeyecekmiş gibi
Yaşadınız mı..

Yalanı sürmeye sürmeye,
Yanlışı görmeye görmeye
Saklandınız mı..

Doğruluğun yönünde,
Doğruların önünde
Aklandınız mı..

Ortamsız bir yaşamda,
Yaşamsız bir ortamda
Harcandınız mı..

DUYGUYA TAŞ

Duyguluysan işin zor,
Yaşamda yeniksindir.
Duyguluya sor,
Ona aşkları da acı verir.

Hep bir karanlığa uyanır, yalnız:
Düşleri gerçekleri, gerçekleri düşleridir.
Aldatsanız, aldansanız,
O hep bir karanlığa uyur gibidir.

Hiç ölüsü yoktur,
Herkes, her şey anısındadır.
Geleceği geçmiş'in gözünden okur;
Hep bir yangının bacasındadır.

Gülerken bir düğündür, acı-son'lu,
Aldatılara uğurlayan gelinlerini.
Bir çocuk bahçesidir, renk-renk balonlu,
Savaşlara uğurlayan bebeklerini.

Sinmiş her şarkıya, her uyanı'ya, uykuya,
Ölümün yaşayan kardeşidir.
Hep sezer, sezdikçe duyguluya
Yengiler de hüzün gelir.

TABLO

Kedi kadının yanındaydı,
Kadın gecenin yanındaydı.

Kedi gitti geceye değdi,
Karardı,
Döndü kadına değdi.

Bir kadın portresi belirdi;
Elinde siyah bir gül vardı,
Kucağında kırmızı bir kedi.

KÖMÜR

Burada can sıkıntısı, can sıkıntısı orada.
Yıllar var uçuyorum, dönüyorum havada.
Gittikçe geliyorum, geldikçe gidiyorum
Bembeyaz olduğumu görüyorum arada.

MASAL

Düşünüyordum
Olaylara insan,
İnsanlara olay çıktı
Masalımdan.

Biri varmış, biri yokmuş derken
Yollardan trenlerden,
Sözü aldım getirdim
Dağlardan tepelerden.

Ben de biriktirdim
Hiç'leri hep'e
Bir dağ bozdum
Yaptım binlerce tepe.

Kurdum orada burada
Ev-ev, köyler kentler,
Dağıttım oda oda
Dağıttım birer birer.

Dağıldı tepelere
Dağların önü ardı,
Sevenlere sevilenlere
Artık bir tepe vardı.

Birinde sen, birinde ben
Öbürlerinde onlar vardı.
Aşklar başlayacakken
Sonlar tepelerden başladı.

Başladı ayrılıklar,
Ayrı ayrıydı adları.
Birer birer ayırdılar
Evleri odaları.

Bir zaman oralarda
Seven özleyen kimdi.
Evlerde odalarda
Yaşanmayan bir şimdi.

Bir daha düşünürsem masal
Bozmayacağım dağları.
Düşünmek iyi, düşünmek güzel,
Ama önce iyi çizmeli yolları.

Yakın yakın derine
El-ele olsun yürümeleri.
Ayrılığın yerine
Mutluluğun şiiri.

ÇİZİM

Ben ağacın resmini çizdim,
Hiç kimse için..
Daha ne yapraklarını yapıştırdım,
Ne de adını koydum
Yemişlerinin..
Onu
Bir anlama yakıştırdım.

Adınıza büyüyor belleğimde ağaç,
Başka ağaçlar doğuruyor;
Büyümeyi bölüşüyorlar gölgelerinde..
Dal-dal, yaprak-yaprak öpüşüyorlar..
Çizmez olaydım, bizi soruyorlar..
Dönüp bizlere bakıyorum:
Dövüşüyorlar.

BİR ADAM

Korku dağlarının yürekçisi,
Ölüm denizlerinin kürekçisi;
Öyle suskun oturuyor şişesinin başında,
İçtiğinin hem hırsızı, hem bekçisi,

Onu kırmış olmalı yaşamında birisi.
Dinledikçe susması, düşündükçe susması..
Tek başına iki kişi olmuş kendisiyle gölgesi,
Heykelini yontuyor yalnızlığın ustası.

ESKİ ÇANAĞIN ÖYKÜSÜ

Bir çanak vardı eski
Bir anlamdı kendince
Anlatır anlatırdı
Zamana bir tanıktı

Birçoklarmış bir zaman
Ortakları ayrılmış
Kimi kırılmış yanmış
Kimi düşmüş çatlamış
Kalmış sonunda kendi
Ortakları yitince
Solmuş sararmış rengi
Ne kadarsa o önce
Ve bir de nasıldıysa
Özenle anlatırdı
O kadar ballanırdı
Gözleri sulanırdı
Bir buruk sallanırdı
Görüntü değerince
Alayı kaldırırdı
Olgundu isteyince
Ama ne var ağırdı
Direnirdi yerince
Birisi bağırınca
Öylesine sağırdı
İçine kapanırdı
Yakınına gelince
Bir de palazlanırdı
Uzaktan sevilince

Bir kırlık bir bağ vardı
O yıl coştu gönendi
Bambaşka ürün verdi
Pazara malı indi
Kasaba pazarında
Koşuldu yarışıldı
Bir anda kapışıldı
Alan satan övündü
Alamayan dövündü
Bulamayan ağladı
Yeni ürün patladı

Çanak daldı bir süre
Bir anı evrenince
Yavaşça ince ince
Yanına sokuldular
Yolunca yordamınca
Boşluğunu buldular
Yeni ürün koydular
Yeni ürün dolunca
Eski çanak çatladı
Bir adı kaldı bunca.

TAŞ YAZI*

Gülüş bir yanaşımdır bir öbür bir kişiye
Birden iki kişiyi döndürür bir kişiye
Anılarından kale yapıp sığınsa bile
Yetmez yalnız başına bir ömür bir kişiye.

(*) Yeni adıyla ikinci kez... Eski adı HER idi.

PARASIZLIK BALLADI

Türküye benzeyen bir ürkü
Yetse de, yetmese de kesemde..
Görsem de, görmesem de
Ensemde
Hüzünden söz ediyor boyuna.
Dinlesem de, dinlemesem de..

Ürküye benzeyen bir türkü,
Üstümden başımdan okunuyor,
Saçımdan, sakalımdan..
Söylesem de, söylemesem de.

DENİZİN BALLADI

Gözlerin en bakışında
Bir en deniz,
Ve denizin en gözünde
Bir bakış, o sensin deniz..

O bakışa ben baktım..
Deniz bakışındaydı, baktım
Bakışındaydı gözleri,
Gözlerindeydi deniz.

OTOKOPİ

Öncesinde yenidendim, sonrasında eskidendim.
Geldim gördüm betikleri, anladım bir nedendim.
Bir oyunda üşüdüm, bir oyunda terledim.
Birine merdivendim, öbürüne gidendim.

ÜSTÜNE-ÜSTÜNE

Her rengin bir anlamı bir de görüntüsü var,
Her anlamın bir rengi, düşünlerde süsü var.
Üstüne ha üstüne gitsem rengin, anlamın..
Üşüyen kavramların bende bir örtüsü var.

SU

Kirli eller daha temiz.
Temiz elli
Kirli gönüllerden.
Ne dersiniz?

Yaşam öyküleri, sanıldığınca karışımsız değil, karışımlıdır.

Her bir yaşam öyküsü, öbür yaşamların parçacıklarıyla tamamlanır.

ÖĞÜT

Okulda, anladıkça başaracaksın.
Yaşamda, başardıkça anlayacaksın.
Gelecek mutlu-mutsuz, inanmasan da;
Gözlerin yaşardıkça anlayacaksın.

DENİZİN DELİSİ

Unutmak mı, delisin,
Gitmesem de bekler orada deniz.
Gelirsem bilmelisin
Benim beklememdir burada deniz.

Gitmek gibi geleceğim
Denizin delisine.
Delinin denizi gibi,
O ne kadar giderse.

SÖZCÜL

Birisi gelse,
Bana candan bir şey verse,
Ben de alsam;
Ne iyidir
Onun ve benim için.

Birisi gelse,
Bana bir söz dese,
Ben de anlamasam;
Ne kötüdür
İkimiz için.

Birisi gelse,
Benden bir şey çalsa,
Ya da saklasa;
Bu yıkımdır
İkimizden birisi için.

AĞLAMAK

Ağlamak
Bazı acılarda yetmez
Bazı ölümlere

Örtüsüdür bazı acıların
Örter, örtülmez
Savunur bir süre

Ağlayanlar sevinmeli
Sevin ağlayabiliyorsan
Acılar art arda dinmeli

Durur bir nöbetçi gibi
Durur bir bekçi gibi
Zamana gülmeli-gülmeli.

Sevin ağlayabiliyorsan
Unutmanın kardeşidir ağlamak
Uyur uyanır yatağında duyguların
Düşüncenin kucağında hep çocuktur
Ağlamak.

ZELZELE

Sen ona uyanırsan o sana hep sen durur,
Sen onu bilmesen de o seni hep bilen durur,
Sepetinden sulu, kanlı yangınlar damlar;
Bana senden vurur,
Sana benden durur.

Unutturur hep kendisini, öyle gelir,
Sonra da hiç hatırlamaz..
Duyan da bir, duymayan da bir.
Hiçbir kan yetmez buna;
Ona
Uyuyan da bir, uyumayan da bir.

KURŞUN KALEM

Bana biri bir söz etse
O sözü sonra o'
Na anlatsam, yinelesem.
Yazsam,
Çizsem.

O beni dinlese,
Bana
Ben o
Sana
Söylediğim sözü
Bilsen
Unuttum
Dese;
Aklınca
Silmeyi
Denese.

Ben de ona,
Sen o
Bana
Dediğin sözü
Söylemeseydin
Bana
Ne
Desem.

Onun bana
Söyleyip unuttuğu'
Nu sandığı
Sözü
Ben ona
Unutmadığımı
İletsem.

O'
Na
Sussam..
Ben.
O, silinir gider,
Ben yazar giderim.

DÜNE GİDEN

Olmamış bir şeye inanan insan
Geride, hep gerididir.
Tüm olmakta olanları
Değil anlamak, göremez bile.
Karanlığını yoğun'a boyar,
Bir bugün içinde ölemez bile..
Gider, boyuna düne gider.

ALDANI-ALDATI

I

Benim düşlerimin içinde
O uyuyordu, duyuyordum.
Ben bir uykusunda onun,
Bir düş'ünde bulundum..
Uyuyordu, duyuyordu,
Avundum.

II

Benim düşlerimin içinde
O uyumuyordu, biliyordum.
Ben ne bir uykusunda onun,
Ne de bir düş'ünde bulundum..
Bulunsaydım,
Vururdum.

SINIR BİR ÇİZGİDİR İKİ OKUNUR

Sınırlar
Her zaman,
Her an,
Yakından,
Uzaktan
Birbirlerine bakışırlar,
Durmadan birbirlerine
Kendilerini taşırlar.

Birindeki nöbetçi
Öbüründekine bekçidir.
Her ikisi de yakın
Birbirine
Her ikisi de uzak
Bir
Olasılığa
Karşı'dırlar.

DÜN ODAMI TOPLADIM

Nasıl da hiç sezdirmeden birikmiş yanyan'larca
Kalem kalıntılarından, bozuk çakmaklara kadar,
Oyuncak parçalarından/bir sürü şey/kutularca,
Hangi kapının olduğu unutulmuş anahtarlar.

Unutulmuş, anılmamış, bu unutum'lar, anım'lar,
Onlar da mı uçuşurlar bütün bunlar atılınca.
Artık uyansalar bile bana uzanamaz onlar,
Dağıtınca, toplayınca, yerimize alışınca.

Zamanında olmalıydı atılımlar, katılımlar,
Ne ben onları anlarım, ne de onlar beni anlar
Bir bütünmüş yarımlaşmış karşısından bakılınca.

Bir düğme, ki iliği yok, sökülmüş bırakılınca,
Sedef bir çakıymış ama, kırık ucu paslanınca;
Camları kırık gözlükler hangi gözlerle bakarlar.

IŞIMAK YAŞATMAKTIR

Gecelerin karanlık bölümü
Sesleri büyütüyor
Uykusuzluğun kucağında
Emziriyor ölümü.

Büyütüyor sesleri
Karanlık bölümü gecelerin.
Yıldızları çağırmalı
Işıtmalı o büyüyen sesleri.

KONU

Ben gözlem öykülerimi az severim.
Gitsem gitsem,
Öyküleri özlem olan
Delilere giderim.

Ben çiçeklileri
Renklileri
Delileri severim,
Birde de lilikleri.

Bir olay yoktur;
İç içe'dir olaylar.
Bir olay; içinde adamlar...
Bir adam; içinde olaylar.

Öykü mü?
Kendini yaşarken romanlaşır.
Bir bitki, bir fidan, bir ağaç?
Kendini aşarken ormanlaşır.

Doğa? Kimine bir öykü, kimine bir roman..
Yalına iner giriftliğinde.
Bir çoban?
Bin çobandır ovadan indiğinde.

ŞİMDİ

Unutulmamak savaşımında
Anlayorum biz yaşlıların
Çirkin kalan
Haklı direnişlerini
Anlamsızca
Gençleri güzel kılan
Az deneylerinde
Haksızca.

AZ ACI

Saygın ölü;
Yaşarken tanış olmadık
Seninle,
İyi ki.

TAPAN TAPILAN

Her şeyin var nerde'leri
Bir-bir açar perdeleri
Her perdede oraları
Açılı kapanı gelir

Pencerenin kapanları
Cam takıp da kıranları
İçe dışa bakanları
Kıranla yapanı gelir

Yeni gelen hep yabanı
Düşer başına tavanı
Tapılan durur da hani
Bakarsın tapanı gelir

ÇARŞI

Ölçü mü, tartı mı,
Önü mü, ardı mı,
Eksi mi, artı mı,
Gördünüz tartıyorum.

Kurusunu, yaşını,
Sonunu ve başını,
Gözünü ve kaşını,
Ayırdım tartıyorum.

Bir oyuncak terazide,
Usta, ünlü bir terzide,
Kınamadan sizi de
Düşündüm tartıyorum.

GRAFİK

Her uzun, başka başka kişilere
Başka başka şeyler anlatır,
Unuturlar başka başka.

Her çok, birçoklarına
Birçok şeyler anlatır;
Taşırlar başka başka.

Her iri, küçükleri kızdırır
Sesde, renkte, yolda, yöntemde;
Birleşirler başka başka.

Her büyük, boy'undan anlaşılmaz,
Tarlalarda, dağlarda dolaşır;
Yetişir başka başka.

ÖYKÜNÜN BİTİMİ

Birinin kendini istediği gibi görmesi,
Öbürünün kendini olduğu gibi görmesi,
Öykü dür istense istenmese kişi yaşarken;
Birininki onca'dır, öbürü kendi ölmesi.

SENİ SAKLAYACAĞIM

Seni saklayacağım inan
Yazdıklarımda, çizdiklerimde,
Şarkılarımda, sözlerimde.

Sen kalacaksın kimse bilmeyecek
Ve kimseler görmeyecek seni,
Yaşayacaksın gözlerimde.

Sen göreceksin, duyacaksın
Parıldayan bir sevi sıcaklığı,
Uyuyacak, uyanacaksın.

Bakacaksın, benzemeyor
Gelen günler geçenlere,
Dalacaksın.

Bir seviyi anlamak
Bir yaşam harcamaktır,
Harcayacaksın.

Seni yaşayacağım, anlatılmaz,
Yaşayacağım gözlerimde;
Gözlerimde saklayacağım.

Bir gün, tam anlatmaya..
Bakacaksın,
Gözlerimi kapayacağım..
Anlayacaksın.

KALDI

Anılarla umu'lar arasındaki ip,
Kimiler birini, kimiler öbürünü özleyip,
Asılı bir yaşam gerildi kaldı.

Doğum yeri anılardı yaşamın,
Öbürüydü başladığı yerde akşamın,
Yaşam boyu can-içre serildi kaldı.

Bir ülkeydi, bir insandı, bir andı
Oradayken burada, bur'dayken or'da yandı
Yaşam-altı düşlerde gezildi kaldı.

Bir kadındıysa gençliği güzelliği çürüdü
Bir erkektiyse koş düşündü felç yürüdü
Ve "ahmak ayaklar" altında ezildi kaldı.

Anılarda bir tipi, umudlarda bir sis
İkisi de bizsiz, ikisi de isimsiz
Şarkıları bitmeden kurşuna dizildi kaldı.

Anı:
"...Benim güzel çocukluğumu
Ahmak bir ayak ezdi..."
Asaf Hâlet Çelebi.

Bir şey olmasaydı yazmak olmayacaktı..
Başka bir şey de olmasaydı
Silmek olmayacaktı.

SEVİNÇ İLE HÜZÜN

Sevinci kapıştılar taşımayı bilmeden,
Şimdi bilen yok, nerede oturuyor.
Köyün delisi Hüzün, yalnız kaldı yollarda
Adam-adam sınayor, arayor yoldaşını..
Kıskandıran özlemi, yüzünden okunuyor.

Görünüp siliniyor o gündenberi
Sevinç bir an gözlerde, dudaklarda,
Yerini sevgilisi Hüzün'e bırakıyor..
Sevinç'se uzaklarda, hep uzaklarda,
Şöyle bir görünüyor, hemencecik uçuyor.

İşte o günden beri gözlerde, dudaklarda
Hüzün, aramaktadır, yitik yavuklusunu,
O günden beri Sevinç yerinde durmaz
Ve kişiliğini ararken uzaklarda
O günden beri kimliksiz hüzün olmaz.

HACI MURAD ORATORİO'SU

ORATORİO'YA GİRİŞ

Konuşmak küçülür-küçülürse
Adı değişir susmak olur
Ağlamak büyür-büyürse
Adı değişir susmak olur

Kucağında susmak adlı bir çocuk
İkisi de küçük
Bakışlarında susmak adlı bir kuş
Uçmuş da uçmuş
Bir anda iş işten geçik
İki ölüm kadar seçik

Konuşmak küçülmüş küçülmüş
Adı değişmiş susmak olmuş
Ağlamak büyümüş büyümüş
Adı değişmiş susmak olmuş
Hacı Murad üstüne yürümüş yürümüş

Bunu gören Kızılırmak olmuş
Her akşam gün batarken
Güneşi hiç ellemeden ve hiç görmeden
Kızılırmak denize rengini yazmış

ORATORİO

Yüreğine yok yazılıyor, onanmazlığına var yazılıyor.
Boyuna yeniden bir büyük yok hazırlanıyor ona,
Onun dününe, bugününe, yarınına
Ki artık o da hiç bilmeyecek
Boyuna arayacak, boyuna gidecek susmalarına susmalar..

Kimine unutmak bile çok, kimine unutmamak az
Benim, senin, onun-bunun yerine.
Bir kar dinmeden ona yaz boyu yağar da yağar..
Sisyphus'un kayasını andıran dağdelen bir ok
Bir tüfek patlaması gibi derine, hep derine
Hacı Murad'ın susmasını kazar da kazar.

Bir çizgidir çizilmiştir ondan önce,
Gelir Bafra'lardan İstanbul'lara kadar.
Kızılırmak akar, gelmiştir taa nerelerden
Ve batan güneşi hiç ellemeden ve hiç görmeden
Vura vura akşamları ve bir denizi kana boyar.

Gelen ya da gelecek şu öte karanlıklar adına
Bir fener, yıldız-yıldız gazyağını çakar.

Bir yoğun, bir özel su sabah-akşam hiç durmaz;
Yalın bir sucasına hava olur yüreğine damlar.

Yüklenir bir anda bin doğumu o yaşam boyu
Bin ölümü bir anda yüklendiği kadar.

Yazgının kesiştiği alınlar bir avuç değil,
O merminin yoluna, mermi onun yoluna çıkar.

Ne bir çiçek, ne bir demet, ne bir yumak;
Ellerinde bir çile, ör örebildiğin kadar.

Balıkların yazdığını sularda su okur,
Havalarda çizim çizim dolaşırken kuşlar.

Şiirlere uzanır susmalarını çoğaltmak için;
Alır da Murad'ını o yollardan yollara vurgular.

Bir kapıdan geçmiştir, onu o seçmemiştir;
Arkasından o kapı ona bakar da bakar.

Üstüne yürümüştür, bir yürek çürümüştür.
Bu ne özel bir iştir ağalar, beyler, dostlar.

Bir merminin önüne durmaya yetişecek..
Şimdi o oradadır, onu ergeç yakalar.

Çok önceden patlamış bir tüfek biliyorum..
Bafra'da patlamıştır, gelmiştir bana kadar.

Artık hep orada olacak oradaki o adam
Buradayken orada olmak istediği kadar.

HARCAMALAR

Mektuplar aldım sevindim,
Birinde denmiş geliyorum
Öbüründe yazılmış geleceğim.
Bekledim bekleyorum..
Bir yaşam verdim.

Açtım bir başkasını,
Uzun-uzun yazmış gel.
Okumadan arkasını
Gittim gidiyorum
Bir başka yaşama bedel.

Biri demiş sen, biri demiş ben.
Seni ben anladım, beni sen.
Bir yaşam daha verdim
Beklerken, giderken, dönerken.

Kaldı elimde üç-beş mektup,
Üç-beş yaşam.
Bir onları da açsam okusam
Önceki yaşamları unutup
Ya beklesem, ya da gidip arasam.

Ne bir iz geliyorum deyenden,
Ne de gel yazandan.
Bunları düşünüp dururken
Bir yaşam daha gitti elimden
Başkalarınca saklamak varken.

Ama ben umudluyum bundan;
— Yüzümden, gözümden belli —
Umudu umudumla harcadığımdan..
Bundan sonra belki
Bir yaşam daha çıkar mektubumdan.

Her şeyi süpürebilirsin;

Sonbaharı süpüremezsin.

KALMAK TÜRKÜSÜ

Daha gidilecek yerlerimiz var
Şu sohbetinizi dinler gideriz
Coştukça şarkılar, türküler, sazlar
Rakı mı, şarap mı, içer gideriz

Geçse de umudun baharı yazı
Gözlerde kalıyor yaşanmış izi
Kimseler kınamaz burada bizi
Ne varsa hesabı öder gideriz

Söyleyecek sözü olan anlatsın
İsterse içine yalan da katsın
Yeter ki kendinden, bizden söz etsin
Yalanı doğruyu sezer gideriz

Neler gördük neler bu güne kadar
Daha gidilecek yerlerimiz var
Bizi buralarda unutamazlar
Kalacak bir türkü söyler gideriz

Sevgiye var olduk sevdik sevildik
Kavgalara girdik öldük dirildik
Bir anlam fırını içinde piştik
Anlamlı güzeli sever gideriz.

BİLSEYDİ EĞER

Bir şiir bir geceye değer,
Bir şiir bir uykuya değer,
Bir şiir bir uyanmaya değer,
Bir şiir bir sigaraya değer,
Bir şiir bir rakıya değer,
Bir şiir bir şarkıya değer,
Bir şiir bir türküye değer,
Bir şiir bir ağrıya değer,
Diye-diye..
Meğer.

CAĞALOĞLU YOKUŞU

Dün gene yokuşu çıkıyordum,
Günlerden yetmiş sekizdi..
Yaymacı
Eski kitaplarını bekliyordu
Kaldırımda
Eskiden olduğu gibi,
Alsınlar okusunlar diye
Başkaları da.

Bazı yerler değişmiş
Bazı yerler eskiden olduğu gibi
Hiç değişmemiş..
İnenlerle çıkanlar;
Yaşlısı, genci
Basımevi, kitabevi..
Gelenlerle, kalanlar..
Aynı umular, aynı bekleyiş..
Adlarda, yapılarda okunuyor
Olmuşlarla olanlar..
Yalnız bir şey değişmemiş;
İniş-çıkış, geliş gidiş.

Bu yalnız benim için değil..
Nasılsa benden önce;
Yüz, seksen, elli..
Benden sonra da olacak,
Besbelli

Benim de demek istediğim;
Dün gene yokuşu çıkıyordum
Günlerden yetmiş sekizdi..
Ona-buna kimilerini sordum,
Çok azı bildi.

İşte geçerken dün o yokuşdan,
Günlerden yetmiş sekizdi,
Saat yetmiş sekizdi..
Otuz sekiz saat önce oradan
Şarkılarıyla, şiirleriyle
Bir sarışın geçmişdi..

Onu soruyordu şimdi
Bir sakallıdan..

Ne bilsindi.

Yalnızlık paylaşılmaz.

Paylaşılsa yalnızlık olmaz.

YALNIZ'IN DURUMLARI

I

Her şeyi süpürebilirsin;
Sonbaharı süpüremezsin.

Sen her şeyi süpürebilirsin;
Sonbaharı süpüremezsin.

Yalnızsa,
Sürekli bir sonbaharı
Süpürür hep..
Düşünemezsin

II

Yanar
Sobasında
Yalnız'ın
Üşüyen
Bakışları.

Lambasında
Karanlığa dönük
Bir ışık
Titrer
Sönük-sönük.

Penceresi
Dışına kapanmıştır,
Kapısı
İçine örtük.

III

Yalnız
Bin yıl yaşar
Kendini
Bir an'da

IV

Yalnız'ın
Nesi var, nesi yoksa
Tümü birdenbire'dir.

V

Yalnız
Bir ordudur
Kendi çölünde..

Sonsuz savaşlarında
Hep yener
Kendi ordusunu.

VI

Yalnız'ın
Sakladığı bir şey vardır;
Boyuna yerini değiştirir,
Boyuna onu arar..
Biri bulsa diye.

VII

Yalnız
Hem bilgesi,
Hem delisidir
Kendi dünyasının.

Ayrıca;
Hem efendisi,
Hem kölesidir
Kendisinin

Tadını çıkaramaz
Görece'siz dünyasında
Hiçbirisinin

VIII

Yalnız
Sürekli dinleyendir
Söylenmemiş bir sözü.

IX

Sözünde durması
Yalnız'ın yalancılığıdır
Kendisine..

Hep yüzüne vurur utancı.
O yüzden
Gözlerini kaçırır
Gözlerinden.

X

Yalnız'ın odasında
İkinci bir yalnızlıktır
Ayna.

XI

Yalnız
Hep uyanır
İkinci uykusuna.

XII

Yalnız
Kendi ben'inin
Sen'idir.

XIII

Bir sözde saklanmış bir yalanı
Bir gözde okuduğundan
Bakmaz kendi gözlerine bile.

XIV

Her susadığında
O
Kendi çölündedir.

XV

Kendi öyküsünü
Ne anlatabilen,
Ne de dinleyebilen.

Kendi türküsünü
Ne yazabilen,
Ne söyleyebilen.

XVI

Bir zamanlar güldüğünü
Anımsar
da..

Yoğurur hüzün'ün çamurunu
Avuçlarında.

XVII

Yalnız
Aranan tek görgü tanığıdır
Yargılanmasında
Kendi davasının..

Her duruşması ertelenir
Kavgasının.

XVIII

Yalnız
Hem kaptanı
Hem de tek yolcusudur
Batmakta olan gemisinin..

Onun için
Ne sonuncu ayrılabilir
Gemisinden,
Ne de ilkin.

XIX

Yalnız'ın adı okunduğunda
Okulda ya da yaşamda..
Kimse
"Burda"
deyemez..
Ama
Yok da..

XX

Uykunun duvarında başladı..
Önceleri bir toz gölgesi sanki;
Sonra bir yumak yün gibi.

Ama şimdi iyice görüyor
Örümceğin ağını
Gün gibi

XXI

Yalnız
Duymuş olduğunun sağırı,
Görmüş olduğunun körü
Dür..

Ölür ölür öldürür,
Öldürür öldürür ölür.

Duyduklarını unutur,
Duyacaklarını düşünür.

XXII

Yalnız'ın adına
Hiç kimse konuşamaz..

O
Kendi kendisinin
Sanığıdır.

XXIII

Yalnız
Önceden sezer
Sonra olacakları..

Paylaşacak biri vardır;
Anlatır anlatır ona
Olanları, olmayacakları.

XXIV

Her leke
Kendisiyle çıkar.

İÇİNDEKİLER

ÇİÇEKLERİ YEMEYİN

ADAM / şiir

SABRİ ALTINEL
Zamanın Yüreği
Şiirler

MELİH CEVDET ANDAY
Rahatı Kaçan Ağaç
Kolları Bağlı Odysseus
Teknenin Ölümü
Ölümsüzlük Ardında Gılgamış
Tanıdık Dünya

ORHON MURAT ARIBURNU
Buruk Dünya

ÖZDEMİR ASAF
Bir Kapı Önünde
Yalnızlık Paylaşılmaz
Benden Sonra Mutluluk
Yuvarlağın Köşeleri

ECE AYHAN
Yort Savul
Çok Eski Adıyladır

ATAOL BEHRAMOĞLU
Şiirler 1959-1982
Eski Nisan

İLHAN BERK
Günaydın Yeryüzü
Galile Denizi
Âşıkane
Deniz Eskisi
Delta ve Çocuk
Galata
Atlas
Güzel Irmak

EGEMEN BERKÖZ
Yalnız ve Birlikte

EDİP CANSEVER
Yerçekimli Karanfil
Kirli Ağustos
Şairin Seyir Defteri
İlkyaz Şikâyetçileri
Oteller Kenti
Gül Dönüyor Avucumda

NECATİ CUMALI
Yarasın Beyler

EROL ÇANKAYA
Asıl Adı Gökyüzü

CEVAT ÇAPAN
Dön Güvercin Dön

ASAF HÂLET ÇELEBİ
Om Mani Padme Hum

ARİF DAMAR
Acı Ertelenirken

ARİF DİNO
Çok Yaşasın Ölüler

METİN ELOĞLU
Yine
Şiirce
Hep
Önce Kadınlar

HALİM ŞEFİK
Otopsi

RIFAT ILGAZ
Bütün Şiirleri (1937-1983)

ATTİLÂ İLHAN
Tutuklunun Günlüğü

KÜÇÜK İSKENDER
Gözlerim Sığmıyor Yüzüme

CAHİT KÜLEBİ
Bütün Şiirleri

BARIŞ PİRHASAN
Tarih Kötüdür-İmzasız Elyazıları

OKTAY RİFAT
Yaşayıp Ölmek, Aşk
ve Avarelik Üstüne Şiirler
Elleri Var Özgürlüğün
Çobanıl Şiirler
Denize Doğru Konuşma
Dilsiz ve Çıplak
Koca Bir Yaz

RUHİ SU
Ezgili Yürek

RAINER MARIA RILKE /
Turan Oflazoğlu
Seçilmiş Şiirler

NELLY SACHS / Necmi Zekâ
Akkor Bilmeceler

antoloji

MEMET FUAT
Çağdaş Türk Şiiri Antolojisi

ÖZDEMİR İNCE / ATAOL BEHRAMOĞLU
Çağdaş Bulgar Şiiri Antolojisi

CEVAT ÇAPAN
Çağdaş İngiliz Şiiri Antolojisi

ÜLKÜ TAMER
Çağdaş Latin Amerika Şiiri Antolojisi

OKTAY RİFAT
Yunan Antologyası ve
Latin Ozanlarından Çeviriler

CEVAT ÇAPAN
Çağdaş Yunan Şiiri Antolojisi

İSMET ZEKİ EYUBOĞLU
Yedi Askı
(Arap Şiirinin İlk Parlak Dönemi)

SAİT MADEN
Şiir Tapınağı (İnsanoğlunun
Beş Bin Yıllık Şiir Serüveni)

BEHÇET NECATİGİL
Yalnızlık Bir Yağmura Benzer
(Çeviri Şiirler)

CAN YÜCEL
Her Boydan
(Dünya Şiirinden Seçmeler)

ATAOL BEHRAMOĞLU
Çağdaş Rus Şiiri Antolojisi

CEVAT ÇAPAN
Çağdaş Amerikan Şiiri Antolojisi

Yayımlayan: Anadolu Yayıncılık A.Ş.
Kapak Baskı: Ana Basım Sanayi A.Ş.
İç Baskı: Şefik Matbaası